農はいのちをつなぐ

宇根　豊

岩波ジュニア新書 978

はじめに――不思議なこと

田植えが終わると、毎日田んぼに通います。二〇二二年は稲の葉に止まっているイナゴ(稲子)が目立ちました。葉には、イナゴが食べたあとが目立ちます。私は、「ずいぶん、かじられたね。でもこれくらいなら大丈夫だよ」と声に出して、稲を慰めます。また稲の株元に水がたまっているかどうかを確かめていると、今度は、水の中の生きものが目に飛び込んできます。オタマジャクシやゲンゴロウ(源五郎)やホウネンエビ(豊年蝦)やヤゴ(水蠆。トンボの幼虫)などです。「今年もいっぱい生まれてきたね」と話しかけます。毎日生きものたちと顔を合わせていると、いつのまにか会話をするようになります。生きものと話をするのは、百姓以外の人から見ると、不思議なことに思えるでしょうか。

草とりなど手慣れた仕事は頭を使わず、身体が勝手に動いてくれます。仕事に没頭していると、時が経つのも忘れ、自分自身のことも忘れ、そして家族や経営のことなどもすっかり忘れてしまいます。こういう時が一番幸せです。疲れてくると、頭ではなく、身体が「休みなさい」と教えてくれて、ようやく我にかえります。あるいは、急に涼しい風が吹いてきたことに身体が気づいて、我にかえります。そこではじめて「ああ、自然に包まれ、天地と一体になっていたんだな」とわかるのです。

それにしても仕事に没頭していると、あらゆることを忘れているのに、目の前の生きものは目に入って会話までしているのは、なんとも不思議です。

ところで、私たちが毎日口に入れる食べものは、すべて生きものでした。その生きものの「いのち」をいただいて、もっとあからさまに言うなら「奪って」お腹を満たしています。しかし私たちは「奪っている」ということを意識することはほとんどありません。だからでしょうか、食事は私たちにとって楽しい時間になっています。

年寄りの百姓と話をしていると、「百姓仕事の中では草とりが一番楽しい」と言います。草とりは、草を引き抜いて草のいのちを奪うことなのに、どうして楽しいと言えるのでしょう。百姓仕事では、草とりをはじめ殺生がつきまといます。同じように食べるという行為もまた殺生を避けることはできません。ところが私たちは、このことを悩んだりはしません。どうしてでしょうか。これも、また不思議です。私は、この不思議さを突き止めようと思いました。何か大きな理由があると感じたからです。その手がかりは田んぼや畑にあるのではないかと思いました。

先日のことです。田んぼの水の上に赤トンボが落ちていました。羽化の途中、片方の翅（はね）の先がよじれて開くことができなかったのでしょう。そおっとすくい上げて、稲の葉に止まらせてやりました。半日ほど経って赤トンボを見てみたら、体が半分ほど何かに食べられていました。思わず「生まれてきただけでも……」と言葉が、途中でつまってしまいました。

日々田んぼで生きものと会話をしている私は、生きものの「いのち」に、自分の「いのち」を重ねてしまうのです。人間と同じ「いのち」がそこにあると思っている、と言ったらいいでしょうか。この感覚をよりどころに様々な「不思議なこと」の理由を探し、田んぼでの出来事を語ってみようと考えました。

とはいえ、人間以外の生きものの「いのち」そのものを言葉にするのは簡単ではありません。しかし田んぼや畑で、百姓仕事の相手となっている生きものと会話していると、お互いの「いのち」が響き合う時があります。それを可能な限り言葉にしていくことになりました。そこにあるのは「いのち」のすごさという気もしています。

ところで、現代社会で「農業」を説明する時の語り方は「農業は、食料を生産する重要な産業である」というものが目立ちます。「農業」を「工業」に、「食料」を「製品」に置き換えても通じます。農業と工業に、違いも差もないように思えてきます。でも、それでいいのでしょうか？　計画通りに製品をつくる工業同様に、農業も効率よく食料を生産すればいいのでしょうか。そうだとすれば、工場で「培養肉」を生産しても「農業」になりそうです。そうした発想では、何か大切なものをつかみ損ねてしまう、いえもう手からこぼれ落ちているように私には思えます。「農」らしさが消えてしまっているといったらいいでしょうか。田んぼで赤トンボが百姓に寄ってくるのも、その赤トンボが毎年田んぼで生まれるのも、「農」らしさなのに、そうは考えなくなっています。

工業的な「食料生産」というとらえ方は、あまりにも人間中心の視点・思考に偏っています。「農」とはそんな狭いものではありません。では、「農」とは何なのでしょう。

私と一緒に、田んぼに出かけて、生きものたちと語り合ってみましょう。「不思議なこと」を解くカギと合わせて、「農」とはいったい何かが見えてきそうです。

本文に入る前に、二つの事柄について説明させてください。一つは、「百姓」という呼び名について、そしてもう一つは、生きものの名前の表記についてです。

まずは、呼び名についてです。私は百姓です。現在ではさすがに「百姓」を差別語だと言う人は少なくなりましたが、この「百姓」という名称は、複雑な歴史を背負っています。一九七三年にマスコミ各社は「百姓」や「大工（だいく）」「左官（さかん）」「土方（どかた）」「按摩（あんま）」などの職業を指す言葉を差別的だとして、使用しないよう申し合わせました。この影響で、学校や役場や学会などでも、事実上「百姓」という呼び名は追放されたのです。私は若い頃、農業改良普及員という公務員でしたが、「百姓」という言葉を使い続けました。百姓からは一度も抗議されたことはありません。非難する人は百姓以外の人ばかりでした。いつのまにか「百姓」という呼称を差別語だと思い込まされていて、その由来を自覚していない人でした。

「百姓」という言葉は、古くは『日本書紀』でも使われていますし、決して差別語ではありませんでした。明治以降の歴史教育が、差別を助長したと私は考えています。

「封建時代には百姓は差別され搾取（さくしゅ）され続けてきた」という歴史観が「百姓」を暗いイメージに落とし込んだのです。ところが一九八〇年代になると、江戸時代でも、(1)百姓の所得は、武士とほとんど変わらないぐらいだった、(2)年貢も百姓の所得の一割余りでしかなかった、(3)百姓一揆も、八〇%は百姓の言い分が認められていた、(4)農村は、百姓たちの自治が貫かれていて、武士は簡単には介入できなかった、ことなどが次々に明らかになりました。「百姓」という言葉のイメージは明るさを取り戻し、今日にいたっています。

じつは私が「百姓」という言葉を使い続けてきたほんとうの理由は、多くの百姓が「百姓」と名乗ることに引け目を感じていないどころか、むしろ誇りを持っていたからです。現代でも、まだまだ「百姓」という言葉を使うのに、「差別語ではない」と断らなければならないこともあります。早く、本来の言葉を大事にする時代が来ればいいですね。

次に生きものの名前の表記についてです。生きものの名前をカタカナ書きにするのは、あまり好きではありません。名前が単なる記号になってしまい、生きものの性質や形態がわかりにくくなるからです。漢字からカタカナ表記になったのは、一九四六年に政府が内閣告示により文書で使う漢字を一八五〇字に制限すると示した「当用漢字表」のまえがきで「動植物名はかな書きにする」と指示したことが始まりです。その後、漢字制限は国民からの反発が強くゆるめられました。ところが生きものの名前のカタカナ書きだけは、新しい習慣として定着してしまいました。多くの図鑑や教科書などでは、そうした表記が見られます。

しかし、カタカナ表記だけでは、名づけた人がどういう自然の中で、どういうまなざしを持ってつけたものなのか、その意味が伝わってきません。そこで、この本では必要に応じて（　）書きで漢字を補っています。読みにくいものにはルビを振りました。字を見て、「どうしてこの字をあてたのかなぁ」と想像を広げてみてください。また一般名や総称の時は漢字も使っています。

二〇二三年　六月

宇根　豊

目 次

5章

農は過去と未来、そしていのちをつなぐ

＊本文中の写真は、すべて著者提供。

1章

生きもの同士が出会う不思議、そして始まる

アマガエルとは，よく目が合います

◉稲と出会う

田植えが終わると、毎朝夕に田んぼに通い、稲の様子を見ます。田んぼに着くと、まず全体を眺めます。天候によって雰囲気は毎日違いますが、まず稲に「今日も元気だな」と声をかけます。たまに「何か変だな」と感じる時は、畦(あぜ)をまわりながら、その原因を探します。「あのあたりがおかしいな」と気づくと、田んぼの中に足を入れて近づき、虫見板(むしみばん)を株元にあてて叩きます。「そうか、ウンカ(中国大陸から飛んでくる体長二㎜ぐらいの害虫。漢字では「雲霞」と書きます)が飛んできたんだね。少しは幼虫が生まれているね。でもこれくらいなら大丈夫」と稲に告げます。稲もほっとしたような感じに見えます。

真夏の夕暮れ、家路につこうとして田んぼを振り返ると、すべての稲の葉先から露(つゆ)があふれ出し、キラキラと輝いています。「すごい、そんなにいっぱいの水を吐き出してるんだね。まるで星空だね」と声をかけてしまいます。よく見てみると、露はみんな葉先よりもちょっとだけ下から出てきています。「なぜ稲はあんなに露を出すのだろうか。でも昼間に見えないのは、すぐに蒸発してしまうからかな」と考えながら、畦道を帰ります。

翌日、朝すぐに稲に話しかけます。「やっとわかったよ。田んぼの中が畑よりも涼しいのは、きみたちが吐き出している水分のせいだね」と。稲は「やっと気づいたのか」というような顔をしていました。

ただただ稲と「会う」ために、田んぼに通っているような気分になります。そして、行くたびに稲と話をしてしまいます。たまに稲の葉が緑一色に染まって見える時があります。田んぼ全体が一つの稲の体に覆われているような雰囲気です。そんな時です。急に風が吹いてきて葉を揺らすと、一枚一枚が違った色に一瞬のうちに変化します。それを見ると、葉が生きているんだな、と実感します。

●カエル（蛙）と出会う

私が話すのは、稲だけではありません。みなさんも、機会があれば、ぜひ田んぼの中をのぞき込んでみてください。とくに田植えが終わったばかりで、稲もまだ小さい時期の田んぼでは、水の中までよく見えます。きっと稲以外の生きものに出会うことができるでしょう。

その代表がカエルです。私たち百姓は、田植え前から、出会っています。狭い田んぼで代(しろ)掻(か)きしていると、カエルたちは耕耘機(こううんき)やトラクター等に巻き込まれないように、田んぼから上がって、畦に避難し、そこに、ずらっと並んで耕耘機を押す私を見ているのです。私はそこで「よおっ、今年もやってきたね」と目を合わせながら声をかけます。

写真1-1　代掻きの後で鳴くヌマガエルのオス

代掻きが終わった日の夜になると、村中がカエルの鳴き声に包まれます。ほんとうに「夏が来たな」という気持ちになります。たぶんカエルは「相手を求めて鳴いているのであって、夏を告げる意図はないよ」と言うでしょう。でも、この国に住む人の多くが、夏の到来として受け止めています。

代掻きは、田植えの準備のための仕事で、田んぼに水を引き入れて、土を耕耘機で掻き混ぜて、ドロドロにすることです。一日経って泥水が澄み、土が沈殿すると隙間がなくなり、水は地下に染み込みにくくなります。これで田んぼは干上がらなくなるのです。

代掻きは、カエルの産卵とオタマジャクシ(御玉杓子)の成長を助けるためにやっているのではありません。あくまでも田植えの準備のためです。しかし、カエルたちは「自分たちのためにやってくれている」と感じているのではないでしょうか。その証拠に、田植えの前にまとまった雨が降り、田んぼにたっぷり水がたまっても、決してカエルは鳴きません。

代掻きした後の田んぼの水は、お日様に照らされると、水温が急上昇します。六月ならば三〇℃以上になります。それに、オタマジャクシの餌（えさ）となる藻類（そうるい）がすぐに発生して増えてきます。つまり生まれてくるオタマジャクシがすくすく育つ条件が代掻きによって整うのです。カエルたちはこのことをよくわかっているに違いありません。

●「出会う」ということ

毎年必ず同じ時期に、同じ生きものと出会うなんて、なんとも不思議な話です。もし、弥生（やよい）時代の先祖に尋ねることができたなら、「ああ、そのカエルとは、毎年顔を合わせていたよ。ええっ、二〇〇〇年後もそうなのか」と驚くかもしれません。ありふれた、あたりまえのことだから、私たち百姓はもはや驚きませんが、それでも不思議だな、とは感じます。

なぜ、同じ生きものと毎年出会うのでしょうか。仮に毎年違う生きものが出てくるとしたら、私たちはもはや落ち着いてはいられなくなり、警戒して身構えるでしょう。同じ生きものだから、安心して歓迎できるのです。この生きものと毎年「出会う」ことが、百姓にとっても、そして百姓が育てた食べものを食べる人たちにとっても、とても重要なことです。それをこれから、少しずつ語っていきます。

●田んぼの中は劇場

みなさんは、カエルの里帰りを知っていますか。田植えの前になると、果樹園や畑では大きな変化が起きます。カエルが一匹もいなくなるのです。みんな田んぼに行ってしまうからです。でも、どうしてカエルには田んぼの場所がわかるのでしょうか。またなぜ代掻きが始まる日時がわかるのでしょうか。たぶん去年、自分が生まれて育った時節と田んぼの場所を覚えているのでしょう。何しろ数百mも離れたミカン(蜜柑)園からでも戻ってくるのですから。

そしてもっと大切なことは、田んぼには多くのカエルたちが、同じ時期にやってくることです。「うわあ、こんなにいっぱい仲間がいるんだ」と驚き、安堵(あんど)したことでしょう。もし仲間が来ていなかったら、鳴き声をあげる意味がなくなるからです。喉(のど)を膨らませて、盛んに鳴いている姿を見ていると、「そうか、何もかもわかっていて、今年もこの田んぼに戻ってきたんだな。お帰り」と、言葉が出てしまいます。

カエルが鳴いて数日すると、田んぼの中が一変します。小さな小さなオタマジャクシがいっぱい泳ぎまわるからです。生まれたばかりのオタマジャクシは卵よりも小さいのですが、よく動くので、すぐ目につきます。わが家の田んぼは、村でも一番カエルの多い田んぼです。稲一株のまわりにオタマジャクシが一〇匹ぐらいいます。

わが家の田植えは「手植え」ですから、「水苗代(みずなわしろ)」をこしらえます。周囲の田んぼよりも一カ月も早く、田んぼの一画に水を張り、そこだけ代掻きをして、苗床(なえどこ)をつくり、タネを播きます。ところが二、三日もするとアカハライモリ(赤腹井守)の夫婦が、水苗代の水中を、一〇組ぐらい歩きまわっています。カエルの卵を探しているのです。とくにトノサマガエル(殿様蛙)の卵は二〇〇〇個ぐらいが塊になっていて目立つので、イモリが一〇匹以上も集まって、盛んに卵を食べています。もう半分ほどの卵は中身がなくなって、外側の半透明の膜だけが浮いています。私は慌てて家にザルを取りに帰り、すくって移しました。それでもイモリはザルのまわりをうろうろしていました。イモリは苗代に水が入ると、周囲の里山からやってきて、カエルが卵を産むのを待っているのです。この出会いは、私を複雑な気持ちにします。

ヘビ（蛇）もカエルをねらって、田んぼをウロウロしています。わが家の田んぼに多いのは、ヤマカガシ（山楝蛇）とシマヘビ（縞蛇）です。私が近づくとすぐに逃げていきます。人間を襲うことはないので、怖くはありません。カエルをくわえている時は、極端に動きがのろくなるので、近づいてじっと見つめます。カエルを呑み込むのは、とても苦労しています。しかし、ヘビには嬉しい食事の時間なのでしょう。この様子を見ていると、まるで劇場にいるかのような気がします。多種多様な出演者たちがドラマをくり広げているかのようです。

ところでわが家の田んぼには、オタマジャクシは、一〇a（アール）（一〇〇〇㎡）あたり約二〇万匹生息しています。けれど、カエルになって、翌年また会えるのは約一〇〇〇匹です。残りの一九万九〇〇〇匹はどうなったのでしょうか。多くは食べられたに違いありません。毎年こんなにオタマジャクシが生まれているのに、カエルの数は毎年ほとんど変わりません。これも田んぼの不思議なところです。「それは安定した生態系の特徴です」と冷静に言うのは簡単ですが、この生と死の生々しさに触れていると心が波立ちます。

●水の上と空の上の出会い

劇場は、田んぼの上、そう、空にもあります。主役はクモ（蜘蛛）たちです。代掻きの時に、田んぼの水の上で一番目立つのはクモです。水の上を走りまわるのはコモリグモ(子守蜘蛛)やハシリグモ(走蜘蛛)などの大きいクモだから、すぐ目につきます。ところがこれらのクモをねらって、まるで飛行機が着陸するように、猛スピードで突っ込んでくるものがいます。ツバメ(燕)です。嘴(くちばし)でクモをくわえると、一気に舞い上がります。空を見上げると、ツバメがひっきりなしに飛んでいます。

ところで、小さなクモも空を飛ぶって知っていますか?　以前、田んぼの横に、高さ一〇mの柱を立て、その上に大きな捕虫網をつけて、外国から飛んでくる害虫の「ウンカ」を調べていたことがありました。するとその網に毎日必ず小さなクモが入るのです。不思議に思っていたところ、私も一度だけ、クモが飛び立つのを目撃し、納得しました。カメラで二㎜ほどのアカムネグモ(赤胸蜘蛛)を撮影していたら、草の葉の先に逆立ちして尻の先から糸を伸ばし始めました。その糸が風に舞い上げられると、そのまま引きずられてあっと言う間に、空の上に消えていきました。

田んぼの畦を歩いていると、顔にクモの糸がくっつくことがよくあります。たまたま飛んできたクモの糸があたったのです。田んぼの上はクモの飛行空域だと言っていいでしょう。田んぼの見まわり(田まわり)をしていると、その離発着に遭遇するというわけです。

写真 1-2　虫見板の上のセスジアカムネグモとトビムシ．このクモは大きさが 2 mm ぐらいです

これらの小さなクモは巣を張ることなく、稲の株元を動きまわっています。「虫見板」を使うと、自分と同じ大きさのウンカの幼虫を捕まえている場面を簡単に見ることができます。

●土の中の出会い

土の下にも生きものたちの劇場があります。代掻き直後にはミミズ(蚯蚓)が死んで何匹も水の上に浮いています。「畦まで逃げ遅れたんだな。ごめんよ」と謝ります。前年の秋には田んぼの水を落とすので、畦から田んぼに入ってきて冬を越したミミズたちです。よし夏もここで生きていこうと決めた時に、水をためられてしまったのですから気の毒です。

ところが、水の中でも平気なミミズもいます。

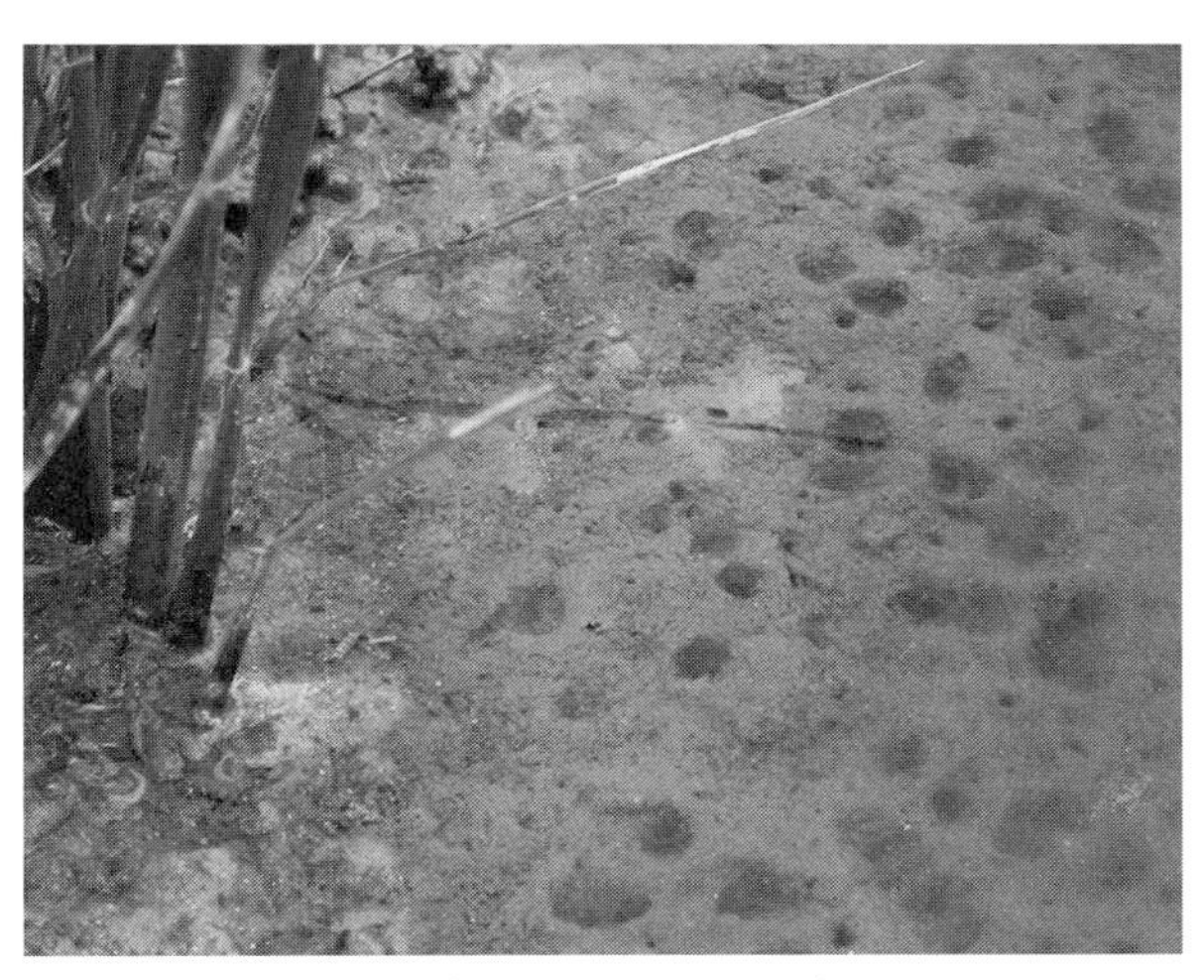

写真 1-3 イトミミズ．巣穴から赤い尻尾が出て揺れています

イトミミズ（糸蚯蚓）です。稲一株のまわりに一〇〇匹以上もいる場所もあります。目につくのは田植えをして一週間後ぐらいからです。赤くて細いものが、水の中でゆらゆら揺れています。よく見ると、土にいっぱい小さな巣穴が開いて、そこから尻尾を出しているのです。手を伸ばすと、さっと引っ込んで見えなくなります。「えっ？ 尻尾に目があるの」と声が出てしまいました。そこで思い切って、手のひらを素早く深く差し込んで、土をすくい上げると、何と体長五㎝ほどの長いミミズが穴の下に隠れているではありませんか。「きみたちは何のためにそこに住んでいるんだ」と聞きたくなります。

わが家の田んぼにイトミミズが多いのは、餌になるものが多いからでしょう。藁(わら)は全部土の中に鋤(す)き込んでいますし、草もそうです。堆肥も施しています。こうやって、イトミミズは巣穴に吸い込んだ有機物を食べ、食べかすを吐き出して、土を肥やしているのです。

もちろんこのイトミミズを食べている生きものも少なくありません。ゲンゴロウやガムシ(牙虫)の幼虫がイトミミズをくわえているのを目撃したこともあります。ヤゴやドジョウ(泥鰌)もよく食べているようです。

●「出会い」は、海の向こうからもやってくる

代掻きが終わると、もう赤トンボが飛んでいます。二匹がつながって、後ろのメスが水面に尻尾の先をチョンチョンとつけては飛び上がることをくり返しているので、卵を産んでいることがわかります。西日本では一番多いのが、この赤トンボです。標準和名(生きものの名前の標準語だと思ってください)は「ウスバキトンボ(薄羽黄蜻蛉)」ですが、この名前を知っている百姓はほとんどいません。その地方の呼び名で呼ぶか「赤トンボ」と呼んでいます。私の住む九州で多い地方名は「ショウリョウトンボ(精霊蜻蛉)」です。日本の赤トンボの約六〇%はこのトンボですが、冬になるとみんな死んでしまいます。ところが、田植えの時期に

なると、毎年東南アジアから飛んでくるのです。しかも日本では、九九％が田んぼで生まれます。

私がこの赤トンボが好きな理由を教えましょう。田んぼの中で草とりしていて、腰を伸ばすと、いつもこの赤トンボが私のまわりを二〇〜三〇匹も飛びまわっているのです。つい「なぜそんなに私のそばに寄ってくるんだ?」と尋ねたくなります。たぶん、私が稲の葉をかき分けて田んぼの中を歩くと、葉に止まっていた虫たちが驚いて飛び跳ねるので、めざとく見つけて寄ってきたのでしょう。田んぼの虫が好物なのです。どんな理由であれ、私としては自分のまわりに集まってきてくれるのは嬉しく、毎年毎年こういうことが続くと「やっぱり赤トンボは、私のことが好きなんだ」と思ってしまいます。

●赤トンボとの会話

突然の夕立で、私は慌てて畦の桑の木の下に走り込んで雨宿りをしていました。ところが土砂降りの中でも、ウスバキトンボは悠々と飛んでいます。雨が小降りになったところで声をかけました。

「雨は平気なのか?」「海の上を二〇日も飛んでくることに比べたら、なんともないよ」

「どこから来たんだ？」「海の向こうの南の国だよ」

「でも途中どこかで休んだの？」「島がほとんどなくて困ったな」

「そうだろうね」「でも、時々船が通りかかるの。そこで翅（はね）を休めることができて幸運だったよ。でも、船が通らない時は、海の上に降りて休むの」

「ええっ、溺れないの？」「大丈夫、波がない時は、私の脚で水の表面張力を利用して、浮かぶことができるから」

私は一番聞きたかったことを尋ねました。

「なぜ、日本に田んぼがあるとわかっていたの？」「べつに日本という国は知らなかったけど、北に吹く風に乗って、旅に出ようと思ったんだ」

「なぜ？」「自分でもよくわからないけど、気がついたら飛んでたの。でも、こんなに長旅になるとは思わなかった。田んぼを見た時には、ほんとうにほっとしたよ。そして仲間のトンボを見た時には、とても嬉しかった」

もう雨はあがっていました。赤トンボに負けてはいられません。私も仕事に戻りました。

コラム　「生きもの語り」

みなさんは、もう気づいたでしょう。この本での私の語り方は、時々物語っぽいですよね。百姓は毎日のように、生きものと話をします。生きものを相手にしていると、自然にそうなるのです。もちろん声には出さず、心の中で会話することがほとんどですが、この習慣・習性はなかなかいいものです。しかし百姓はこのことを他人には言いません。恥ずかしいと思っているのです。

農業のこと、生きもののことなどを伝える方法は、大きく分けると二つあります。一つは「Ⓐ実感や体験に基づいて、自分の言葉で伝える方法」です。本書では「内からのまなざし」とも表現します。もう一つは、「Ⓑ自分の経験を離れて、外側から眺め、科学的な(客観的な)言葉で伝える方法」です。これを「外からのまなざし」とも言います。

普段の生活で話す時は、ほとんどがⒶです。Ⓑは、テレビのニュースや専門家のコメントにあたります。しかし生きものを相手にする百姓仕事を語る場合、Ⓑだけでは表現できません。そこで、Ⓐの方法を「生きもの語り」と名づけて、語りにしようと考えました。生きものが語ったり、私と会話したりしているところです。したがって、この本の「生きもの語り」は、フィクションではなく、生きものがそう話していると、私が感じたものです。虫や植物、動物たちなどの生きものが直接声を出すわけはありませんが、私にはそのように聞こえていると思ってください。こういうと、何か私が特殊能力の持ち主のように思われるかもしれませんが、みなさんだって可愛がっているペットにはよく話しかけるし、鳴き声に応答することもあるでしょう。普段よく目にする生きものには声をかける人もいるでしょう。「まあ、可愛い」「こっちにおいで」などとね。

●生きものは、急に現れ、そして集まる

代掻きと田植えが終わって赤トンボ以外で、田んぼに集まってくる生きものたちは、新天地を求めてやってきたのではなく、戻ってきたのです。それでも、「急に現れた」と感じるのはどうしてでしょうか。私たち百姓は計画して、毎年予定通りに田植えをします。しかし自然の中では、ある日突然水を湛えた田んぼが出現するのですから、生きものにとっては「急に現れたのは田んぼの方だろう」と言いたいかもしれません。ところが驚くことに、生きものは代掻き・田植えを待っているのです。なぜなら三〇〇〇年も前から、毎年このことをくり返してきたからです。

生きものが田んぼに集まってくるのは、目的があるからでしょう。食べる生きものが目当てに違いありません。自分のためと言うよりも、これから生まれてくる子どものためです。カエルはオタマジャクシの好物である藻類が、トンボの親はヤゴが好きなミジンコが田んぼで大発生することを知っているのです。

しかし、先に紹介したウスバキトンボや中国大陸から飛んでくる体長二㎜ほどのウンカたちはどうでしょうか。食べものだけを求めて海を越えてやってくるとは思えません。相手を探すなら、国内の方がたやすいでしょう。理由はまだよくわかりませんが、できるだけ離れた場所で子孫を残しておこうとしているのではないかと思っています。だから旅立ちという衝動に逆らえないのでしょうね。

●田んぼを離れる理由

多くの生きものが田んぼで育って、山や畑や里地やため池や水路に移動し、また田んぼに戻ってきます。でも、どうして田んぼだけで一生をくらさないのでしょうか。ここは生きものに聞いてみるのがいいでしょう。

①アマガエル（雨蛙。畑や庭で越冬する。１章トビラ写真）「だって、毎年毎年、同じ時期に田

んぼに水がためられるから、こっちだって、産卵の計画が立てやすいよね。でもカエルになってしまうと、水辺よりも畑や果樹園の方がくらしやすいんだ」

②アキアカネ（秋茜。生まれたあと山に移動する）「秋に卵を産む時に、春になったら必ず水がたまる田んぼを選ぶんだ。田んぼを出て山に登るのは、避暑のため。それに田んぼは生きものが混みあってくるからね」

③ゲンゴロウ・ガムシ（ため池で越冬する）「そりゃあ、田んぼに一年中水がたまっているならいいけど、秋になると水がなくなるからね。そうそう、稲が茂ってくると、日陰になるのも嫌なんだよね」

④シラサギ（白鷺。鷺山の巣から通ってくる）「田んぼは水が浅くて、稲も小さな時はよく見渡して餌を見つけやすいけど、稲が茂ってくると、畦を歩きまわるしかないね。冬から春先の田んぼは耕してくれると助かるね。土の中の生きものが食べやすくなるから」

⑤クモ類（田んぼと周囲をうろうろしている）「とにかくいろいろな生きものがいるからね。害虫だけ食べていたら飽きるけど、ただの虫もいるから、いい食事ができるんだ。田んぼの虫たちが少なくなったら、畦や周囲の里山にも出かけるのは当然だろう。飛行して遠くまで行ってしまう仲間もいるよ」

うーん、なんだか田んぼを利用して食べものを食べて、卵を産んで子孫を増やした後は、さっさと田んぼを離れていくような印象ですね。

●田んぼは意外に過酷

田植えして五日ぐらい経つと、水の中でホウネンエビ(豊年蝦)が泳いでいます。半透明で淡い緑色はとてもきれいです。数が多いのですぐに気づきます。そうそう尻尾が赤いからかもしれません。ホウネンエビは、水中のプランクトンを食べています。ホウネンエビの体の色も、緑色や黄色などと、田んぼによって違うのは、餌のプランクトンの違いによるものです。江戸時代には「田金魚(たきんぎょ)」と呼ばれて、江戸市中で売ってまわる人もいました。

子どもたちに「バケツ稲作」のために乾いた土を分けてあげたら、ホウネンエビが生まれたと、喜んでいました。田んぼの土の中には、去年産んだ卵が眠っていたのです。ホウネンエビとカブトエビ(兜蝦)とカイエビ(貝蝦)は、乾燥した土が好きなエビです。「えっ、水の中にいるのに?」と思うでしょう。生まれて二〇日ほどすると卵を産み始めます。その卵は土が乾燥しないと、越冬できないのです。これらのエビたちは「砂漠の生きもの」だと言われています。砂漠では、一年あるいは数年に一回だけ雨が降って湖ができます。すると乾燥した砂や土の中に眠っていた卵から、エビたちが生まれてくるのです。やがて、その湖は干上がって、元の砂漠に戻りますが、すでに卵が眠りについているというわけです。

それにしても、田んぼと砂漠はどこが似ているのでしょうか。田んぼは田植え後四〇〜五〇日経つと「中干し」をします。田んぼの土を乾かすのです。(わが家の田んぼは、水はけがいいのと、水の中の生きものを殺したくないので中干しはしません。)また稲刈り前になると田んぼを乾かしますから、稲を刈った一〇月上旬から翌年の代掻きまで、八カ月間、田んぼは乾いたままになり砂漠と似た環境です。ホウネンエビたちはこういう過酷な環境にうまく合わせられるからいいのですが、田んぼにいる多くの生きものはそれが難しいようです。田んぼを離れるのは、こうした環境の激変を避けるためでしょう。

写真 1-4　浮草から顔を出すトノサマガエル

一方で、一年中田んぼにいる生きものもいることを忘れてはいけません。ヌマガエル(写真1-1)、トノサマガエル(写真1-4)、ヤマカガシ、カマキリ(鎌切)、イトミミズ(写真1-3)、ユスリカ(揺蚊)、タニシ(田主)などです。

●百姓と生きもののかかわり

百姓にとって、田んぼで最も頻繁に見る生きものはやはり稲です。稲がよく育つように手入れに励むのですから。いつも意識的に見ています。こう言うと「稲をしっかり観察しているんだね」と思うでしょう。でも「観察」とは違うのです。

この稲と百姓の関係の目指すべき境地を教えているのが、「稲の声が聞こえるようにならないと一人前ではない」という昔からの言い伝えです。みなさんは、稲が声を出すと思いますか。科学的に考えるなら、出すはずがないでしょう。農業指導員をやっていた若い頃、まだ百姓になる前は「なんと非科学的な。時代遅れの教訓だ」と思っていました。しかし、百姓になってみると、いつのまにか田んぼで稲に声をかけるようになっていました。まるで稲が家族の一員になったような感じです。みなさんも家族の誰かの具合が悪かったら、声をかけ、何かできることはないかと考えますよね。

「稲の声が聞こえるようになる」、それは稲が何を求めているかがわかる、ということです。

水を求めているのか、肥料を求めているのか、草とりを求めているのか、これまでの経験を総動員してやるべきことを感じとるのです。

現代では、様々なセンサーを搭載したドローンを田んぼの上に飛ばして分析し、その数値を基準と比較して、やるべき技術を選択するようになってきています。はたしてこれは稲が求めていることをわかっているといえるのでしょうか。私には、人間がこうあってほしいという型に、稲を押し込めようとしているような気がします。

「稲の声が聞こえるようになる」、それは、対象を単に科学的に観察し分析せよ、という意味ではなく、いつも「稲と言葉を交わして、稲と生きもの同士になれ」ということだと私は思っています。

●生きもの同士になるということ

このように生きものと会話する、生きものの気持ちがわかる、というような感覚は誰にでもあります。これをイギリスの人類学者エドワード・タイラーは一八七一年に「アニミズム」と命名しました。動物や植物に、さらには無生物にも霊魂(たましい・ラテン語でアニマ)が宿るという考え方のことです。彼は、これが宗教の起源であると考えました。その後、宗教の起源は他にもあるという事例が発見され、「アニミズム」は忘れ去られていました。ところが一九九〇年代から「心の理論」が登場し、「アニミズム」に似た感覚は、子ども特有のものとして説明に使われ始め、本来的には人間に備わった心の働きであるかもしれないとも言われ始めています。

「アニミズム」は、決して野蛮で、時代遅れで、非科学的な感覚ではなく、世界を深くつかむための有力な方法なのです。目の前の生きものに人間と同じ意志や気持ちを読み取ってしまうのは、原始的な時代から人間が引きついできたものです。これこそ人間特有の感覚であり、現代の私たちの日常の生活にも生かしたいものです。近年、西洋ではアニミズムが自然と接する方法として、見直されています。この本で、生きものに話しかけ、生きものの声を聞くことをくり返すのは、会話することで人間と生きものの間の隔たりを埋め、この世界の豊かさを表現したいからです。

◉畦草とのつきあい

私たち百姓は、虫や動物だけでなく、草ともつきあっています。畦草を例にとって説明しましょう。百姓がよく歩いている畦はすぐにわかります。畦の中央部が筋状に低くなっているからです。歩いた分だけ草の伸びが抑えられ、草の背丈が短くなるので、百姓はいよいよ歩きやすくなります。

このことを草の側から見てみましょう。畦の中央は、百姓が歩いて踏みつけるので、土が締まり硬くなります。そこで水が止まり、それから外側に染み出なくなります。そんな畦の中央部には踏まれても平気なオオバコ(大葉子)やオヒシバ(雄日芝)やチカラシバ(力芝)などが背丈を低くして育ちます。田んぼ側には、湿り気の好きなアゼムシロ(畦蓆)、タカサブロウ(高三郎)、ヒメミソハギ(姫禊萩)、ヒデリコ(日照子)などが生え、外側には、乾燥した土が好きなヘビイチゴ(蛇苺)、スミレ(菫)、ツルボ(蔓穂)、キランソウ(金瘡小草)などが生えます。いろいろな花が咲き乱れている畦ですが、よく見るとこのように草はきれいに分かれて生えているのです。

百姓仕事に合わせて草が生きている、と言える気がします。一見すると草たちの方が受け身のようですが結果的に、性質による住み分けができているのです。むしろ草たちが百姓に、「もっと田んぼに通いなさいよ」と促しているような感じにも思えます。この関係こそ、百姓仕事の最大の魅力なのです。

◉「害虫」という言葉がなかった頃

私の住む福岡県には「夏ウンカは肥やしになる」という言い伝え(ことわざ)があります。夏ウンカとはセジロウンカ(背白雲霞)のことで、稲の茎に卵を産みつけます。その部分が黄色くなるので、茎の増え方に少し影響が出ます。しかし、一カ月もすると黄色くなった部分はわからなくなり、そもそも稲の茎は余分に(無駄に)増えてしまうので、少しは減る方がかえって太い茎になってよいのです。先の言い伝えは、夏ウンカの被害はたいしたことはなく、かえって被害を受けた稲の方が元気になる、という意味なのです。

しかも最近では、夏ウンカが多い田んぼでは、稲にとって一番怖いトビイロウンカ(鳶色雲霞・秋ウンカ)が増えにくいこともわかってきました。害虫としっかりつきあっていたからこそ、この言い伝えは生まれたのです。農薬がなかった時代の百姓のまなざしの鋭さに脱帽します。

現在、一七七種が稲の害虫として知られていますが、そのうち稲に経済的な被害をもたらすのは、地方によって種は少し違いますが、一〇種ぐらいのものでしょう。その証拠に、一七七種のうち一五〇種ほどは、百姓も名前を知らない虫たちなのです。つまり、「害虫」という名前(区分)はたいして必要はなかったのです。

●害虫の定義

田んぼにおける「害虫」は、被害をもたらす虫ではなく、「作物の稲を食べたり病気をうつしたりする虫」のことです。稲を少ししか食べない、また少ししかいないなら、稲も苦笑いする程度でしょう。しかしそうしたものも残念ながら「害虫」という分類に含められているのです。この分類法では畦の雑草を食べる虫は「害虫」ではありませんし、人間を刺したりする虫も、稲を食べないなら「害虫」ではありません。この本でもその考え方を踏襲します。

また害虫とセットで語られる「益虫」も「益」になるという意味ではなく、「害虫を餌にしている虫」という定義で使います（ここで言う虫にはクモも含めます）。アシナガバチ（脚長蜂）は、人も刺したりするので「害虫」に入れたい人もいるかもしれませんが、稲の害虫であるガ（蛾）の幼虫を食べるので「益虫」です。イナゴは食用にもなりますから「益虫」に入れてもよさそうですが、稲も食べるので「害虫」です（「益虫」ではなく「天敵」という用語も、学会ではよく使われています）。

江戸時代には、こうした区分けはしていませんでしたが、明治時代の中頃から「害虫」

「益虫」という分類や呼称が使用されるようになりました。しかし「害虫」「益虫」という呼び名や分類が定着した後も、そのくくりに入らない虫たちの名前は一九八四年になって、私たちが「ただの虫」という新しい言葉を造語するまでは、ずーっとなかったのです。

害虫 177種	益虫 約300種	ただの虫 約1400種

図 1-1　田んぼの虫たちの分類で見えてきた田んぼの全体

●「ただの虫」の発見

図1-1からわかるように、田んぼには害虫でもなく益虫でもない虫もいっぱいいます。虫見板で観察していると、これらの虫を「害虫」だと勘違いする百姓も少なくありません。その代表がトビムシ(跳虫、写真1-2)です。ぴょんぴょん飛び跳ねる虫だからこの名前がついています。秋になると稲一株に一〇〇〜五〇〇匹もいるのが普通です。稲本体ではなく、稲の根元にくっついている枯れた葉を食べる虫です。つまり「害虫」でも「益虫」でもありません。そのため害虫と勘違いされないように、トビムシをはじめとする虫たちに名前(総称)をつける必要が生まれました。そして私と農学者の日鷹一雅(ひだかかずまさ)が「ただの虫」として公式に提案したところ、次

写真 1-5 虫見板を使う（稲の株元にあてて，反対側から 2, 3 回素早く叩くと，虫見板の上に虫が落ちてくる）

第に受け入れられていきました（宇根豊・日鷹一雅・赤松富仁『減農薬のための田の虫図鑑』農山漁村文化協会、一九八九年）。

「あまりにも日本的で、英語に翻訳しにくい」と学者や研究者の中から「ただの虫」という命名に異議が出たこともありましたが、現在では、学会でも「ただの虫」という名称はよく使われています。英訳は「neutral insect」（中立的な虫）となっています。いまでも、私はこの命名はとてもよかったと思っています。「害」とか「益」という価値判断で虫を分けるのではない、新しい世界を切り開いているからです。

「もし「ただの虫」がいなかったら田んぼはどうなると思いますか」と小学五年生にこ

の質問をしたら、びっくりするような答えが返ってきたことがありました。

「ただの虫がいなくなったら、田んぼは自然ではなくなるよ」と言うのです。私は「なるほどな」とうなりました。私は「生物多様性がなくなる」ぐらいの答えしか用意していませんでした。益虫のクモは、害虫だけ食べていたのでは生きていくことができません。トビムシなどのただの虫も食べないと栄養のバランスが崩れて育たないのです。またトビムシがいなくなると食べている枯れた葉・藁が分解しにくくなり、いずれ田んぼの土にも影響が出てくるでしょう。この小学生は「害虫・益虫・ただの虫」と分ける前の、まるで江戸時代のような「内からのまなざし」で田んぼの世界全体を見ていたのです。すごい、と感心したのは言うまでもありません。

●世界を外側から見る

「ただの虫がいなくなったら、田んぼは自然ではなくなる」ということについて、くわしく見ていきましょう。

「害虫が大発生しないような栽培方法を工夫する」ためには、どれが害虫でどれが益虫（天敵）かを区別できなければならないでしょう。しかし、虫たちの世界を「害虫・益虫（天敵）」

という基準だけで分けてしまうと、有害なものか、有用なものしか存在しないと人は考えてしまいがちです。明治時代以降に「害虫はすべて駆除してしまえ」という発想が強くなっていったのは、この分類法にとらわれすぎたためでしょう。実際には、虫たちの世界を「何を餌として食べているか」と、外側から科学的な分類基準に従って分類しただけだったはずです。

害虫も少なければ、害どころか益虫の餌になって田んぼの自然を豊かにしています。また害虫も益虫も、ただ好きな餌を探して食べて生きているだけだというとらえ方もできます。そもそも害虫・益虫自身に「害虫・益虫」という自覚はないでしょう。それを人間の都合で分類してしまったために、農薬に頼り切った農業技術が盛んになってしまったのです。

私は命名者の一人ですから、正直に言いますが、当初は「ただの虫」を「害虫でもなく、益虫でもない虫」と定義していました。しかし、それでは「害虫」や「益虫」が主役で、「ただの虫」はあまりにもマイナーな定義なので、「作物や害虫以外の生きものを食べている虫」というように変更しました。科学的にはこれでいいと思います。「なぜ、ただの虫が一番多いのか」という疑問に、「ただの虫の餌が一番多いからだ」と答えることができるからです。

しかし「ただの虫」のほんとうの価値は「害虫でも益虫でもない世界」に人の目を向けさせたことですから、「害虫でも益虫でもない虫」という説明も悪くなかった、と思っています。そして、この定義は昆虫やクモだけでなく、動物全般にも当てはめることができます。

●世界を内側から見る

百姓に「ただの虫」の代表であるゲンゴロウやタガメ(田亀)やミツバチ(蜜蜂)の名前をいつ誰から教わったのか質問すると、誰に教わったかは覚えていないけど、子どもの頃に覚えたのは間違いない、と答えます。子どもは「害虫・益虫・ただの虫」を区別するでしょうか。しないでしょう。子どもたちは、ただ生きものと向き合って、よく見かけるもの、捕まえやすいもの、好きになったもの、怖いものから名前を覚えていきます。多くは、家族、近所の人、先輩、友だちから教えてもらったものです。

私たちが一番知っている虫の名前は「害虫」でもなく「益虫」でもなく「ただの虫」です。なぜなら、図1-1ですぐにわかるように、「ただの虫」が一番多いからです。それだけではありません。「害虫」や「益虫」は、一～三㎜ほどの小さな虫が多いのに比べて、「ただの虫」はゲンゴロウやタガメやタイコウチ(太鼓打)のように目に見えやすい大きい虫が多いからです。そして子どもの頃からの遊びの相手としてそばにいたからです。

私たちはまだ科学的な外からのまなざしを知らないうちから、自分自身の内からのまなざしと感覚で、生きものたちの名前を次々に呼んできました。分類の基準は「好きだ・嫌いだ・どちらでもない」「捕まえたい・触りたくない・どうでもいい」あるいは「かっこいい・変な感じ・どちらでもない」といった分け方でした。これは客観的でなく、その人にしか通用しない方法ですが、自分なりの分類の仕方だったのです。

こうして私たちは自前の尺度や方法で、生きものたちの世界全体をつかんで育ってきたのです（難しい言葉を使うとこれは「世界認識」そのものです）。しかもその多くが「ただの虫」「ただの生きもの」の範疇（はんちゅう）にいるものでした。私たちは、決して「有害・有用」という区分けで、生きものたちとのつきあいを始めたのではなかったのです。これはとても大切なことなのに、忘れてしまっています。

●「自然」って何だろう

「自然」という言葉を辞書で引くといろいろ説明が載っていますが、ざっくりと区分けすると英語の「nature」に通じる自然界・自然環境の意味と、ひとりでに、おのずからという「自然にそうなる」の意味で使用されることが多いと思います。「ここは自然が豊かだ」という自然環境の意味で使う名詞の「自然」は、明治時代に英語の nature の翻訳語として、新しくつくられた言葉です。それまでの日本語の「自然」には「自然にそうなる」という意味しかなかったのです。

「えっ、こんなに自然が豊かな国なのに、自然(環境)という言葉がなかったなんて、信じられない」と思いませんか。

日本には前者の「自然」に近い言葉に「天地」があります。この「天地」には、人間も神さまも含まれています。ですから「人間も自然の一員だと思いますか?」と質問されたら、多くの日本人が「そうです」と答えるでしょう。私たちは「自然」を天地の意味で使っているのです。

他方、西洋のキリスト教的な自然観では、「神さまが人間のために自然をつくった」と考えられてきましたから、「自然」の中に人間は入らず、あくまで「利用する立場」として存在しています。日本人のとらえ方とは違っているのがわかります。

「天地」のとらえ方で自然を見ている時は、人間が自然の一員になっているので、「自然」そのものは見えません。見えるのは赤トンボや田んぼや山や雲です。ところが「自然ってい

写真 1-6　田んぼの土の断面．矢印の下が江戸時代の田んぼの土です

いな」「自然は守らなくてはならない」という意味で「自然」を見る時には、自分を自然の外側に出して、自然全体を思い浮かべていませんか？　そうしないと「自然」という概念は使えません。つまり現代の日本人は、日本古来の自然観と西洋由来の自然観の両方を身につけていると言ってもいいでしょう。だから「自然の生きものは、自然に生きている」と言われても、すぐに意味がわかるのです。

●土も生きもの

田植えが終わって一月もすると、稲の葉が茂ってきて、田んぼの土は見えなくなります。稲が根を伸ばし、そこから養分を吸い、稲を育てている母体である土のことは忘れがちになります。土が再び姿を現すのは、稲刈りが終わった後です。ある時、子どもたちに「この田んぼの土の下はどうなってるの」と尋ねられ、返答できなかったので、冬になってから田んぼの土を掘り下げてみました。

一五㎝までの黒々とした「作土(さくど)」(移植ゴテの部分)の下は茶色の土で、さらに三〇㎝より下は石と砂ばかりです。この石と砂の層には、ほとんど根が伸びていません。ところが、さらに掘り下げていくと、五〇㎝下からなんとまた黒々とした立派な土が、現れたのです。突然私の頭の中に村の歴史がよみがえりました。一八五〇(嘉永三)年にこのあたりは大水害に見舞われ、この田んぼとすぐ下流にあったお宮もすべて流されました。つまり作土の下の石と砂の層は、その時の水害で流れ込んだ土石流の土砂であり、その下の黒い土は、その当時の田んぼの作土だったのです。

私はこの江戸時代の作土を指でこねながら、現在の田んぼの作土と比べました。どちらも黒くて肥えたいい土です。たぶん水害の後、流れ込んだ土砂の上に、近くの山土を運んで盛って、再び田んぼの作土としたのです。その新しい山土は、黄土色の痩せた土です。「そうか、あれから一七〇年経つと、黄土色の山土がこれほどの黒い土になるのか」と、土には年月が積み重なっていることを実感しました。百姓にとっては「黒」はいいイメージの色です。

土が黒くなっていくのは、生きものの死体である有機物が増えてきた結果だからです。つまり土が肥えている証なのです。

●土が増えてくる

そうそう、田んぼの土は肥えてくると嵩が増えてくることを知っていましたか。春になって、田んぼを耕します。半ば腐熟している稲藁と茂っている草、コオニタビラコ(小鬼田平子)、セリ(芹)、ハハコグサ(母子草)、レンゲソウ(蓮華草)、カラスノエンドウ(烏野豌豆)も一緒に土の中に、鋤き込んでいきます。この時に土の隙間に空気もいっぱい入り込みます。すると土が盛り上がってくるのです。まあ、これは一時的なもの。

田植え前になると、元肥となる堆肥を鋤き込むので、田んぼはさらに膨れ上がります。このことを何十年も続けていると、田んぼの土そのものの量が増えてきます。それに気づいたのは、代掻きの前に水を入れると、畦の方が相対的に低くなってきて、だんだん深く水をためることができなくなったからです。水が浅いと、田んぼの中の草がよく育つので困るのです。そこで山から土を運んで畦を五㎝ほど高くして、やっとたっぷり水をためることができました。田んぼの土は「土づくり」をして肥やすと増えていくものなのです。

●土が生きているという意味

　私が「土も生きものだ」と言うと勘違いする人がいます。とくに科学的な知識を持っている人では「そうです。一gの土には、数億の微生物が住んでいますからね」と言いたくなるのもわかる気がします。たしかに土の中には微生物がいっぱい生息しています。それだけでなく、生きものの卵も実もそして死骸も含まれています。生きものの最大の生息場所と言っても間違いではありません。しかし、私が言いたいのは、「土自体が生きている」ということです。

「土は生きもの」とは不思議な表現で、イメージが湧きにくいかもしれません。百姓なら田んぼを耕しながら、耕した部分の土の色が劇的に黒く変化していく様や、水がたまった田んぼの中を歩きながら、足が土に包まれる感触などで、いつも実感しています。

　生まれてはじめて田んぼに入って田植えをした子どもたちが「田んぼの土って、ぬるぬるして、気持ちいい。まるで生きているみたい」と言います。子どもたちは、土そのものに「生」を感じているのです。川や山や海が生きているように、土も大きな一つの生命体だと私たち百姓も感じます。土自身が生きものを育てます。そればかりか、死んだ生きものを引きとります。そして、またいのちをよみがえらせます。

　こんなこともありました。日照りが続き、田んぼの土が白く乾ききって、ひび割れが広がり、稲の葉が苦しそうに巻き始めた時に、やっと夕立がやってきたのです。雨水を吸い込んだ田んぼの土は、みるみる色が黒くなり、雨水はひび割れに吸い込まれていきます。すると土は膨らんで、水をしっかり抱きかかえて逃がしません。まるで人が渇いた喉を潤すように、土は雨水を吸いながら、ほんとうに喜んでいるようでした。枯れそうになっていた稲を救ったのは、雨と土です。稲はいきいきと葉を広げ始めました。また土の中の微生物に元気を取り戻させ、土自身が生きかえっていきます。

●ミツバチが田んぼにやってくるのはなぜ

　稲が穂を出すと、ミツバチが目立つようになります。「ええっ、稲には花はないでしょう」と思った人は、かなり稲に関心がある人ですね。そうであれば、ぜひ初秋に田んぼの横を通ったら、近づいて見てください。穂が出たばかりの午前中なら、籾（もみ）が開いていて黄色いオシベが飛び出しています。そうです。この籾の中にメシベもあるので、この籾が花なのです。

「でも、稲は蜜（みつ）を出さないんじゃないの」と思った人はよく知っていますね。私も最初は、なぜ稲の花にミツバチがやってくるのか、わかりませんでした。ところがミツバチの脚を見たら、黄色の団子をつけています。なんと花粉を集めているのです。私はミツバチも飼っているので、花粉がミツバチの幼虫の餌になることはすぐにわかりました。たまにはミツバチが畦に降りて、水を飲んでいる場面も目撃できます。この水は巣に吹きかけて冷やすために使われています。

しかし、「タネ(種子)」をとる田んぼであれば、少し問題が生じます。稲は自分のオシベの花粉でメシベが受精する「自家受粉」の植物です。ところが、ミツバチが違う品種の花粉を脚につけてやってきたら、違う品種と交配(交雑)するかもしれません。現実に稲は普通の状態では、〇・一%ほど交雑しています。一〇a(一〇〇〇㎡)で一万五〇〇〇粒にもなります。

写真1-7 稲の開花．午前中の3時間ほど籾が開いて，オシベが飛び出してきます

私は翌年に播く稲のタネを、わが家

の田んぼから採っています。タネ採りの時に目立った変異を見つけると「これもタネ採りをして、増やしてみよう」と思います。そうやってヒノヒカリという品種から、長・宇根ヒノヒカリと短・宇根ヒノヒカリを選抜して、もう二五年も栽培しています。以前は、私が発見した新品種だと自慢することもありました。しかし、よくよく考えてみると、稲とミツバチが力を合わせて生み出した新品種であって、私はただ気づいたにすぎません。あらためて、稲とミツバチにお礼を言いました。「ほんとうに、ありがとう」

稲は交雑したがっているのではないかと思います。なぜなら稲は自家受粉だから、あんなにこれ見よがしにオシベを籾の外に長く伸ばす必要はないでしょう。あれは、どう考えても、花粉で虫を誘っているとしか思えません。どうやら、そういう稲の思惑（おもわく）にミツバチたちはちゃんと応えているのです。

そのように見えてくると、稲もミツバチも私も同じ世界で生きて働いているんだ、という実感が押し寄せてきます。

●共感があるから生きていると感じる

今日も稲が田んぼの上を渡る風に合わせて、複雑な模様をつくって揺れ動いています。ま

写真 1-8　稲の上で風が踊る．稲の上を風が吹く時に，風は姿を現します

るで風が稲の上で踊りを踊っているようです。普段は姿を見せない風がはっきりと現れるのですから、見とれてしまいます。こういう時です。稲も、風も生きているんだなあ、と感じるのは……。その風が私の身体の中を吹き抜けていくと、とても涼しく、思わず「ああ、私も生きているんだなあ」とつぶやいてしまいます。

生きていると強く感じるのは、私の場合、相手との共感があるからです。その相手には自然の生きものも含まれています。田んぼにいると稲も風も土も私も一緒に生きていると感じるのです。

石だってそうです。代掻きの時、田植えの時、草とりの時などにぬかるむ田んぼを歩くと、石ころが足の裏にあたることが、たまにあります。こんな時に、田植え体験にやってきた子どもから「なんで、田んぼの土には石ころがないの?」と尋ねられたことを思い出します。

「いや、いまでも石ころがあると、つかみ出して、ほらそこの河原に放り投げるんだ。何百年もこんなことをくり返してきたから、田んぼには石ころがなくなったんだ」と説明しました。するとその子どもが、田植えが終わって、その河原で足を洗いながら、石ころをつかんで「この石はもともとはあの田んぼにいたんだって」と言っていました。

それからというもの、田んぼの石ころをつかみ出して水で洗い、河原に放り投げる前に、しげしげと見つめて「きみも田んぼで生きてきたんだな。さようなら」とつぶやきます。石ころも田んぼで生きてきて、これからは河原で生きていく生きものなのです。

百姓をしていると、仕事やくらしで出会う相手は圧倒的に生きものたちです。稲や野菜や草や虫、土や石や水、田んぼや小川や森、そして雲や空やお日様までもが相手になってくれます。

2章

そうか、食べものは生きものだったんだ

上は，コオニタビラコ．時計まわりにノビル，ヨメナ．いずれも春の七草

食卓の上で、ごはんは茶碗に盛られて、つやつやと光っています。「まるで生きているみたい」と感じる人もいるかもしれません。米粒は炊かれているので、もう生きてはいませんが、「いのち」はまだ宿っているような気がします。

みなさんは、食べる時に「いのちをいただく」というような気持ちになることはありませんか。それはどうしてでしょうか。

そこで、稲の一生を稲自身に振り返ってもらいますので、つきあってください。

●稲が米になって食べられるまで

タネ播き　ボクは冬の間は「タネ（種籾）」でした。百姓が倉庫の天井から袋に入れて吊り下げてくれました。ネズミに食べられないようにです。すっかり眠っていました。正月に百姓がやってきたのは、かすかに覚えています。たしか「年があらたまるよ。春にはちゃんと芽を出してくれよ」と声をかけてくれました。しかし、まだまだ春は先のことでした。

やがて倉庫にも桜の花びらが舞い込んでくると、ボクは水に浸けられました。冷たい水が

写真 2-1　苗の出芽．この出そろいを見ると１年で一番安堵します

体の隅々まで染みこんできて、全身が目覚めていく気がしました。百姓は毎日水を替えてくれます。水の中に溶けている酸素を取り入れて呼吸し、二酸化炭素の泡をどんどん出します。身体の中で力がみなぎってくるのがわかります。

七日が経ち、籾殻から白い芽を少しばかり出した日に、「タネ播きして」と百姓に頼みます。さあ、苗代でタネ播きです。軟らかい土の上にぱらぱらと落とされ、太陽の光をいっぱい浴びたかと思うと、すぐに土をかぶせられ、水をためられました。三日後、芽をさらに伸ばして土の上に出すと、百姓が水を落としてくれ、ボクの芽は空気に触れます。その空気を根に送って、ずんずん地下に伸ばすのです。

田植え　芽が出てしまうと、ボクの呼び名が「タネ」から「苗」に替わります。苗代では、もうカエルやイモリやゲンゴロウが待っていました。ところが何と、ボクを食べる生きものがいたのです。フタオビコヤガ(二帯小夜蛾)の幼虫(稲青虫)です。これにはショックを受けました。とんでもないところだと思いました。二枚目の葉の三分の一をかじられました。でも、どうにかそれぐらいで済みました。

やがて、ボクの活力は体の隅々まで満ち満ちて、葉をもう二枚出して背丈も伸びた頃、田植えになりました。百姓は家族そろって、苗床(なえどこ)のボクを引き抜いて束にして、藁(わら)でくくっていきます。ずいぶん根が切れましたが、平気でした。ボクたちの束は、畦(あぜ)から空高く放り投げられ、明日田植えする予定の田んぼの中に着水しました。

手植えが始まりました。田植綱が張られて、二、三本が一株にされて、土の中に差し込まれていきます。田植えをしている子どもたちが「田んぼの土の上の方はあったかいけど、下の方はひんやりするね」とはしゃいでいます。ボクはあったかい上の方の土に植えられました。

田植えが終わると、百姓がボクたちに声をかけます。「これで、私の役割はほとんど終わったよ。これからはきみたちが主人公で、天地自然の力をもらって元気に育っていくんだ」

と。その意味がわかるのは、もう少し先です。そうそう田植えが終わると、ボクの名前は「稲」になっていました。

田んぼで生きる　田植えしてもらった次の日から、新しい根をどんどん出していきます。土の中の養分を吸って、大きくなるためです。水温は急上昇し、熱いぐらいです。根のまわりでイトミミズたちが盛んに穴を掘っています。トンボやアメンボ(飴棒)やゲンゴロウたちが卵を産んでいます。草も生え始めました。

どんどん新しい葉を広げ、太陽の光を受け止めて茎を増やし、いつのまにか田んぼはボクたちの体で覆われてしまいました。ある日、小さな虫が何十匹も、茎に嘴(くちばし)を差し込んでボクを吸っていることに気づき、びっくり仰天しました。「これがウンカという名前の虫なんだ」と百姓に教えてもらいました。わざわざボクたちを吸うために、中国という国から海を越えて飛んでくるそうです。とても理解できません。幸い、クモたちがせっせとウンカを食べてくれ、百姓も「これくらいなら、心配ないよ」と言ってくれたので、少し栄養を横取りされましたが、すぐに元気を回復しました。

真夏が過ぎ、ボクの茎の中に大きな変化が現れました。小さな二㎜ほどの穂のもとができ

写真 2-2 稲の葉に止まったセジロウンカ．卵を産みつけた茎が黄色くなります

たのです。これから二〇日間が、ボクが干ばつや水害や日照不足に最も弱い時期ですが、今年は無事に過ぎました。穂は毎日数㎜ほど伸びていきます。この時期を「穂ばらみ」というのは、人間の母親になぞらえた言い方ですね。

みのり ボクは穂を出し、花を咲かせました。小さな目立たない花ですが、黄色のオシベを籾の外側に出すと、田んぼ全体が華やかになりました。一〇日ほど、毎日毎日、次々に花を咲かせます。三時間ほど開いているうちにメシベに花粉がかかって籾を閉じます。それから、一つひとつの籾の中で米粒は、少しずつ大きくなって重たくなります。穂が傾いて、そのうち垂れ下がるようになりました。この米粒の中の養分の半分は、穂が出る前から、ボクがせっせと茎の根元に蓄えたものを送ってやったのです。

ある日、突然スズメ(雀)たちが三〇羽ほどやってきて、ボクの穂の上に止まって、まだ熟れてなくて、籾の中は乳のような白いどろどろしたものが固まろうとしているのに、それを吸い始めたのです。百姓が来たら逃げていきますが、すぐに戻ってきてまた吸います。数千粒の仲間の米粒が食べられました。とてもつらい一週間でしたが、こうしていのちを分けてやらねばならないこともあるんだと、自分に言い聞かせました。

次第に籾が色づき、葉も茎も養分を送り尽くして黄色くなって、田んぼ一面が秋になります。秋とは、現在では季節の秋という意味ですが、もともと穀物が実ることを「あき」と言っていたのです。「麦秋」とは、麦が熟れること、つまり六月の頃の麦畑の様子です。ボクは実りの季節を迎えました。実るとは、ボクからいのちが米(籾)に移ることを意味しています。

稲刈り　田んぼでは秋の晴天の日が続きます。百姓は田んぼの隅の「タネとり」のための稲を先に刈ります。(タネだった去年のボクがそうでした)その後で、ボクは鎌で刈られ、一〇日ほど掛け干(ぼ)しされます。これは穂についた籾を乾燥させるためですが、葉と茎は干からび

写真 2-3　稲の掛け干し．稲と籾と藁の別れの様子

て、死が近づいてきます。そこで脱穀機に穂の部分を差し込まれ、ボクは籾と茎葉とに切り離されました。ここからボクは稲ではなく「籾」と呼ばれるようになりました。籾袋に入れられ、茎葉（藁）と田んぼに別れを告げて、百姓の家の倉庫に運ばれ、米タンクの中に保管されました。

ボクたちは正月から食べ始められますが、その前に「籾摺機」で籾殻を剝がれます。これは少し痛いぐらいで済みました。ここからボクの名前は「米」になります。まず「玄米」に変身したのです。さらに「精米機」で白米になるのは、かなり怖い体験になりました。玄米の表面を覆っている「糠」を削るのです。そのやり方が怖いのです。昔は木の臼に入れて、杵で何回も搗いていました。玄米同士がぶつかって擦れ合うことによって、糠が剝がれていくのです。現在では籾摺機の中で、ボクたち米粒同士が削り合うのです。そのことが怖いのではなく、その時に「胚芽（はいが）」もとれてしまうのです。胚がないと、もう芽は出ません。

しかし、いのちが失われるわけではありません。ここが「いのち」の不思議なところです。白くピカピカになった白米のボクは、まるで生きているように見えます。さらに炊かれると、ボクは輝きを増して「ごはん」と呼ばれるようになりました。きっと、おいしそうに見えているはずです。あなたに「いのち」を手渡すための最後の変身ですから。

藁になる　そうそう、ボクの体の一部であった葉や茎の、その後のことも話しておかねばなりません。ボクは枯れたら「わら（藁）」という名前で呼ばれます。一部は野菜畑に運ばれて、野菜の敷き藁になります。ボク（藁）に含まれている養分が溶け出て野菜に吸われますし、土を覆って草を生えにくくします。また束ねて持って帰られ、倉庫の中で来年の夏野菜のために保管されます。

一〇〇束ほどはしっかり干されます。村のお宮とわが家の正月のしめ縄になるのです。それ以外の多くの藁は田んぼに広げられます。春までの間、ボクの体を食べるのがトビムシたちです。もう藁になっているので、自分が食べられても痛くはありません。むしろ食べられて、排泄される方が、早く土になることができます。春になると耕耘機で田んぼの土の中に鋤(す)き込まれて、体全体が土に埋もれていきます。小さな小さな微生物たちに食べられて、土の中に排泄され、食べ残されたものも土に包み込まれていきます。

こうして枯れた体でも、食べものになるというのがとても嬉しい気がします。ボクは土になって、今度はボクの子ども（種籾）が芽を出し、育っていくのを支えていくのです。籾ではなく藁になったのも悪くはないなと思いました。

●「そうか、食べものは生きものだったんだ！」

稲の語りを聞いたあなたは、どんなことをイメージしたでしょう。あなたの口にごはんとして入るまで道のりは、なかなか面白いと思いませんか。こうした稲の声を聞くと、食べものが生きものだったのはいつ頃だったかなとか、その時の田んぼの様子はどうだったんだろうなどと想像したりしませんか。

そこで、「食べものが生きものだったと気づく」のはどんな時か、具体的に考えていきましょう。

米が生きものだったと感じるのは、何と言っても新米を食べる時ではないでしょうか。

「今日から新米ですよ」と言われたらもちろんですが、新米の強い香りがきっかけとなって、ごはんが稲だったことを思い起こさせてくれます。他の食べものでも香りは生きものの属性のうちでも、食べる時の影響が際だっています。

炊き上がったごはん粒をまじまじと見た時にも、それを強く感じることができます。ごはん粒って、籾殻を剝いで、糠を削っただけの、シンプルな形です。生きていた時の姿、ほぼそのままです。切り身ではなくまるごと姿をとどめた煮魚や貝汁の貝に似ていると思いませんか。それが生きていた時を想像させます。

また、私は、こんな体験から生きものなんだと感じたこともあります。私が子どもの頃の話です。昔は夏になると、余ったごはんを籠に入れて涼しい場所に吊るしていました。いまほど、保存方法が完備されていなかったからです。すると、ごはんがたまに傷むことがありました。いざ食べようとして、酸っぱいにおいを嗅いだ時には、ごはんも生きていたんだと実感したものでした。

もう一つは、アリ（蟻）が米粒を運んでいるのを見た時です。ハッとしました。人間以外の生きものが米を食べているところを見るのは、生きものを食べている自分を見ているようだったからです。生きものは別の生きもののいのちをもらっているんだということを、教えてもらった気がしました。

経験や思い出がきっかけになって、食べものが生きものだったと感じる時もあります。例えば、季節を食べものから感じる時はどうでしょう。季節を感じるのは、食べものが生きものだった時の記憶が呼び起こされるからではないでしょうか。旬（しゅん）のものを食べるということはまさに「季節を食べている」ことで、いい表現ですね。稲が育っている田んぼを見た経験や、田植えや稲刈りなどをした体験があると、お米が生きていたことをすぐに思い出すものです。

料理の経験は、直に生きものの「生」に肉薄することですから言うまでもありません。ジャムづくりや味噌（みそ）づくりといった加工の体験も生きものの「変身」の驚きが呼び起こされます。

しかし、このように感じる時はそう多くはなく、ほとんどの場合は「腹が減っているから、おいしいなぁ」「量が少ないな。もう少し食べたいのに」「食欲がない。残したいな」「早く食べてしまおう」という感覚が勝り、食べもの＝生きものとは感じません。むしろそういう時に目の前に並んでいるのは、生きものではなく「食べるもの」です。

ます。

◉「食べもの」って何だろう?

「食べもの」は、「食べるもの」と「生きもの」、二つの特徴をもっていると私は思っています。

前者は、「食材」といってもいいかもしれません。食べる人の感覚的な欲求を満足させる存在といってよいでしょう。そのため、お米ならば、「おいしい」「香りがいい」「光って艶がある」「新しい成分が含まれている」といった条件が求められます。このために百姓は新しい品種を探し、栽培法を改良していき、収穫すると「食味値八八点の米ですよ」「コシヒカリよりもおいしいですよ」と宣伝し、販売します。消費者の中には、そういうお米を求めている人も少なくありません。

もう一つの特徴は、「生きもの」としてある、ということです。それは時間や季節の中にもあれば、経験や思い出の中にも、さらには人と人とのかかわりや日常のちょっとした風景の中にもあります。しかし現代では、後者の特徴は、あまり求められなくなっているような気がします。それははたしていいことなのでしょうか。百姓として、私はこのことを素直に喜べません。おいしければいいのか、売れればいいのか、食べものというものがそうした尺度だけで手渡され、食べられることに、抵抗を感じます。それは、私が「食べものは生きもの」であると思っているからです。この特徴をもっと大切にしながら食べものと向き合うことはできないものでしょうか。

●食べものには故郷がある

みなさんは、食べものを前にして、どこでとれたものかを気にすることはありませんか。あるいは、そうした会話をしながら食べることはありませんか。人によっては、「産地を知って、安全性を確認する」という考えもありますが、単純に知りたいという人も多いと思います。

わが家では、米や野菜や果物や卵や蜂蜜(はちみつ)やお茶は自給していますので、「今日の米はレンコン田で育って一番最後に刈りとりしたものだ」とか、「このアスパラで今年は最後だ」「寒くなってきたから卵をあまり産まなくなってきたな」「今年のお茶はよく揉んだから味が濃いね」とか会話しながら食べます。まあ、食卓と田畑が直結しているので当然のことです。ところが魚介類は近くの店で買いますので、料理した私や妻が「今日のイカは玄界灘でとれたものよ」「味噌汁のアサリ貝は有明海産だよ」と伝え合います。それを聞いて、青い海原の波頭の白さに思いを馳せたり、「そうか有明海でも、またアサリがとれるようになったんだね」とつぶやいたりしながら食べます。

「この米は一番上の田んぼから、村中を見下ろして育ったんだな」と思いながら、また遠浅の干潟で潮干狩りをしたことを思い出したりして食べると、とってもおいしく感じます。食べもののふるさとと自分がつながっているような、何となく世界が広がっていくような気持ちになります。さらにはこの食べものと天地自然がつながっている、と感じます。

●時代で変わる食べもの

江戸時代までの私たちの祖先は、田んぼに生えるコナギ(小菜葱)という草をよく食べていました。たしかに草とりの時につかむと柔らかく、食べられそうな気がします。しかし現在では見向きもされなくなりました。それどころか、田んぼに除草剤を使うようになると、除草剤に強いコナギは「雑草」の代表のように言われるようになりました。さらに現在の除草剤はコナギも殺すので、有機農業の田んぼでないとコナギをみることはできなくなりました。

以前、カンボジアの村に滞在していた時に、村の百姓たちと田んぼの調査を終えて帰ろうとしたら、一人の女性が田んぼの中の草を虫見板(むしみばん)の上にきれいに積み重ねていました。「それは何ですか」と尋ねると、「今晩のおかずにする草だ」と答えてくれました。食べられる

写真 2-4　コナギ．この花で衣を染める歌も『万葉集』にあります

のに、米以外は雑草として田んぼの中の草をすべて除去しようとする日本との違いに複雑な気持ちになったことを思い出します。

『万葉集』(岩波文庫)にもコナギを普段から食べていたことがわかる歌があります。

醤酢に　蒜搗き合へて　鯛願ふ　我にな見えそ
水葱の羹

「醤油と酢に、搗いた薬味のノビル(野蒜)を合わせて、鯛と一緒に食べようと思っている私に、コナギの羹(熱く煮た吸い物)なんか見せてくれるなよ」というのが歌の大意です。鯛がごちそうだったのに比べて、コナギの吸い物は、普段から食べていた料理だったことがわかります。

このように田んぼや里の草はよく食べられていました。食べものは、天地自然の中にありました。たとえば七草粥にする春の七草のセリ、ナズナ、ハハコグサ、ハコベ、コオニタビラコ、ヨメナ、ノビルはすべてわが家の田んぼと畦で見つかります。漢字では「芹、薺、母子草(もしくは御形)、繁縷、小鬼田平子(もしくは仏の座)、嫁菜、野蒜」と書きます。

現在、私たちが食べている野菜は外国から持ち込んで日本で改良して栽培するようになったものがほとんどです。日本在来の野菜と言えば、フキ(蕗)とセリとミツバ(三つ葉)とミョウガ(茗荷)ぐらいのものでしょう。さすがに山菜と海藻は在来種が未だによく食べられていますが、野の草は忘れられています。

●「生産履歴」は食べものの故郷と一緒?

食べものに「産地」や「生産履歴」表示が始まったきっかけは、一九八六年にイギリスで発生したBSE(牛海綿状脳症・当時は狂牛病と呼ばれていました)がきっかけです。一七万八〇〇〇頭が感染し、三七〇万頭が殺されて焼却されました(なぜ殺された牛がこんなに多いのかは、後で説明します)。

BSEは、BSEプリオンと呼ばれる病原体が原因だとする見解が主流です。この病気が広まったのは、牛乳の量を増やしたり、肉牛の体重を増やすために、感染して廃棄された牛を肉骨粉にして、牛の餌(えさ)に混ぜていたからと考えられています。この病気は人間にも感染したので、世界中に衝撃が走りました（中村靖彦『狂牛病』岩波新書、二〇〇一年）。日本では発生しないだろうと油断していましたが、二〇〇一年から二〇〇九年まで三六頭の感染した牛が見つかりました。その後、日本では発生していません。

それにしても、なぜ、そんな餌を与えてまで、生産を増やさなければならなかったのでしょう。牛が本来の食べものである草を食べて、自然とつながって生きるよりも、死んだ仲間の牛を食べさせて太りをよくしようとする考え方に、私はショックを受けました。

もし、BSEが発生していなかったら、いまも牛に牛を食べさせることは盛んに行われていたかもしれません。牛を食材としてのみ考えて、生きものであることを、イギリスの百姓は忘れてしまったのではないでしょうか。また、「食べもの」を、「食べるもの」としてしか考えることができなくなっていたのかもしれません。これは私たち日本人にとっても他人事ではありません。

●「表示」は何を表しているのだろう

BSE事件をきっかけに、「食」は「安全性」の確保に向かい、牛肉には「個体識別番号」が表示され、どこで生まれて育ち、殺された牛かがわかるようになりました。それは「トレーサビリティ」(追跡を可能にする)という言葉にも現れています。また今では、販売されるすべての食品に「品質表示」が法律で義務づけられるようになりました。米には「産地」「品種」「産年」が、野菜や魚には「原産地」が、そして輸入食品には「原産国」が書かれています。

鮮度もわかるように表示されています。弁当などの傷みやすい食品には加工日時と「消費期限」が、缶詰やスナック菓子など日持ちする食品には製造年月と「賞味期限」がつけられています。

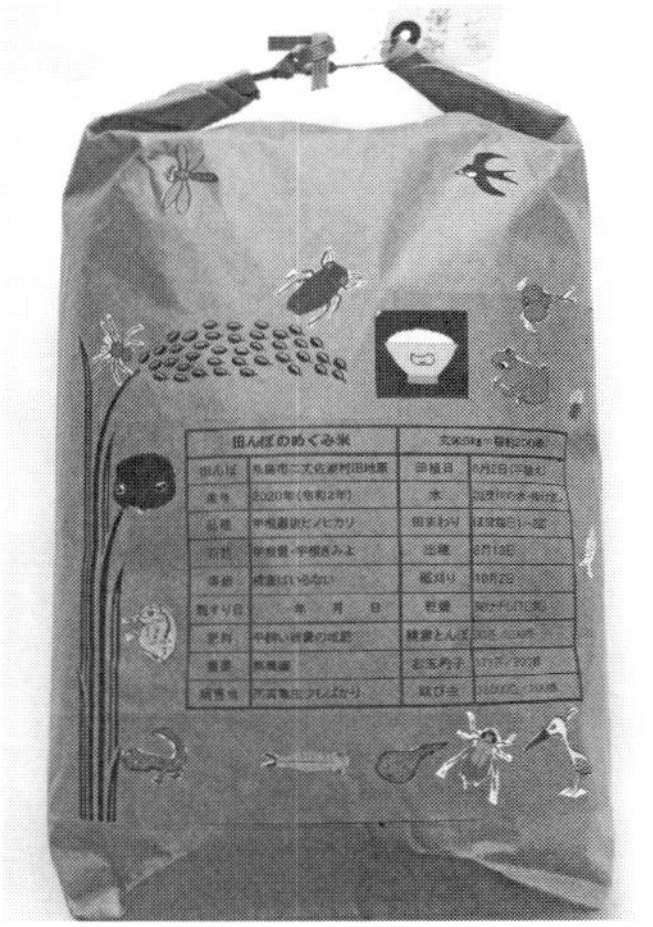

写真 2-5 わが家の米袋．袋には「生産履歴」を明記しています

農産物を出荷する百姓にも「生産履歴」(栽培記録)をつけるように指導がなされています。「生産履歴」とは一つの作物を栽培する間に、生産者がどのような作業等をしたのかを記録したものです。作物を納入する際の品質保証書にもなります。

百姓にとっても、消費者にとっても

一見とてもいいことのように思えます。多くの食べものが海外から輸入され、国産であっても遠い産地から運ばれてくるのがあたりまえの時代になりました。どこでとれたものか、農薬は……と気にする人も多いでしょう。また百姓にしてみれば、新しい農薬や食品添加物などが次々に開発されるので、きちんと使用実績を記録しておかないと、何かがあった時に責任が取れません。「トレーサビリティ」という制度が必要になったのは当然でしょう。

しかし「トレーサビリティ」のねらいは、あくまで食品の「安全」に問題が生じた時に、商品回収と原因究明をスピーディーに行う、つまり対処のためでしかありません。そもそもそうした問題を起こさないために、農が本来どうあるべきかという視点が抜け落ちていると思えてならないのです。また、私たちにとって「食べる」という行為はどういうことなのかについても考える必要があるのではないでしょうか。ヒントになる物語を紹介します。

●「よだかの星」から考える

宮沢賢治の「よだかの星」という作品を知っていますか。賢治は、食べることは生きもののいのちを奪うことだということをひたすら悩み抜く作品を残しています。それが「よだかの星」です。よだかは醜い鳥です。そのため鷹やみんなにいじめられています。そんなよだかの食べものは虫です。

　よだかは口を大きくひらいて、はねをまっすぐに張って、まるで矢のようにそらをよこぎりました。小さな羽虫が幾匹も幾匹もその咽喉にはいりました。（中略）一疋の甲虫が、夜だかの咽喉にはいって、ひどくもがきました。よだかはすぐそれを呑みこみましたが、その時何だかせなかがぞっとしたように思いました。（中略）夜だかは大声をあげて泣き出しました。（中略）（ああ、かぶとむしや、たくさんの羽虫が、毎晩僕に殺される。（中略）僕はもう虫をたべないで餓えて死のう。（中略）いや、その前に、僕は遠くの遠くの空の向こうに行ってしまおう。）（中略）夜だかは、どこまでも、どこまでも、まっすぐに空へのぼって行きました。（中略）そうです。これがよだかの最後でした。もうよだかは落ちているのか、のぼっているのか、さかさになっているのか、上を向いているのかも、わかりませんでした。ただこころもちはやすらかに、その血のついた大きなくちばしは、横にまがっては居ましたが、たしかに少しわらって居りました。

（『宮沢賢治コレクション3　よだかの星』筑摩書房、二〇一七年）

よだかは自分が、生きものを殺さないと生きていけないことを、逃げられない宿命だと感じ、餓えて死ぬことで、宿命から解放されようと願います。しかし賢治は物語のラストで、よだかを救います。そしてよだかは星になって燃え続けるのです。とても切なく、哀しい救いです。しかしもし、よだかが人間であったら、どうすればいいのでしょうか。

私たちも食べたくないものを食べる時には、よだかのように「せなかがぞっと」するようなことがあるでしょう。この感覚をすべての食べものに感じるようになったとしたら、よだかのようにするしかありません。

そこで私たちは「生きていくためには仕方がない」と自分に言い聞かせて、生きものを殺していることに目をつぶります。かつての仏教の信者は、せめて動物の肉だけは食べないようにして、少しでも殺生を少なくするようにしましたが、よだかのように突きつめることはしませんでした。

これは、とても難しく、そしてつらい問題です。私も百姓として、よだかのように考え続けてきました。そしてよだかとは違う解決法にたどり着きました。それについては3章で提案します。

◉培養肉が問いかけてくるもの

もう一つ「いのち」について深く考えさせてくれるものがあります。最近では、生きものの幹細胞を培養して、筋肉細胞の塊をつくり、食べもの(肉)にする研究が進み、試作品もできています。これだと生きものの細胞ではあるのですが、生きものを殺さなくても済みます。ベジタリアンや動物愛護団体の一部からは賛同を受けているようです。

ところが、この「培養肉」は、これまでとは全く違う食べものです。これからいろいろと議論が湧き起こるでしょう。仮に安全性が確認されても、受け入れられるかどうかわかりません。なぜなら「培養肉」は、生きものとして育てられたり、育ったりした経歴を持ちません。だから「いのち」を感じることはないでしょう。そこが「売り」になるのかもしれません。たしかに、これだと「生きものを殺す」という最大の悩みを避けて通れるのも事実です。

しかし、これまで経験してこなかった別の大問題が降りかかってきます。人類は生きものを殺さないで食べたことはありませんでした。生きもの以外のものを食べたことはなかったのです。「培養肉」を食べることで、食べものに「いのち」があったことの意味と意義がわからなくなってしまうかもしれません。「いのち」がなかったものを食べることは、食べものの価値に大転換をもたらすことになるかもしれません。それだけではありません。

牛にこう言ったらどうでしょうか。「きみはもうこの世界に存在する必要はないよ。もちろん、きみが草を食べたり、子孫を残したりする必要も全くなくなるからね。きみの細胞を工場で培養して、ずーっと食用にし続けるからね」

培養肉が社会に受け入れられるかどうかはわかりませんが、もし実用化されたら、「いのちとは何か」だけでなく、「農とは何か」という問題を突きつけられるでしょう。

●食べものに「いのち」を感じる?

あなたはごはんを食べ終わった後、茶碗の底に米粒が二、三粒残っているのに気がついたら、「もったいない」という気持ちだけでなく、「なんだか粗末にして悪いな」という感覚になることはありませんんか。

ところでこの「粗末にする」と言う時には何を粗末にしていると感じているのでしょうか。私は米粒の中の「いのち」だと思います。何か「かわいそう」という気持ちになるのはそのためでしょう。もしそういう気持ちが少しでも湧くことがあるなら、ごはんが生きものだったことをどこかで感じているのではないでしょうか。

食べものに「いのち」があることの意味はどこにあるのでしょうか。ただ「食べたいから食べる」というだけでは、なぜいけないのでしょうか。「肉食」が増えていくことで、食べものを見る目のどこが変わっていくのでしょうか。そこでまわり道をして、百姓の実感から考えることにします。

私が農薬を使わない理由は、残留農薬の人間への安全性に疑問を抱いているからではなく、生きものへのまなざしが衰え、生きものへの情愛が薄れていくからです。なぜなら直接、害虫を手で潰（つぶ）す時には、排除したという達成感と同時に「いのちを奪ってごめん、許してくれよ」という謝罪が口をついて出ます。しかし農薬散布を続けると、いのちを奪っているという罪悪感が薄れていき、駆除したという達成感ばかりが強くなります。そして生きものたちが生きていること自体への関心とまなざしが衰えていきます。

そうなると、育てた稲や野菜自体が「生きている」ととらえる感覚が失われていきます。「作物」は害虫だけでなく、多くの生きものたちと一緒に育っています。だからこそ食卓にたどり着く食べものは、自らの「いのち」だけでなく、ともに生きて食卓まで同行できなかった生きものの「いのち」を背負っている、そう思えてならないのです。こういう感覚を百姓が失ったら、食べものに失礼になるから、私は農薬を使わないのです。こうした「いのち」のつながりを食卓に届ける農の営みでありたいのです。

農薬を使わないことで、私自身の食べものの見え方は変化しました。やっぱり「食べものを殺して食べている」という気持ちが折に触れて強くなりました。しかし、このことは決して悪いことではないと思っています。自分自身の生きものとしての「いのち」と食べものになった生きものの「いのち」が同じもので、つながっているという感覚がだんだんに育ってきました。そして、この避けられない殺生を、百姓としてしっかり見つめて生きていこうと思うようになったのです。

●「いのち」を引きつぐってどういうこと?

稲にとっては、人間以上にいくつもの「いのち」との別れがあります。ここで再び、稲の話に耳を傾けることにしましょう。

タネを選別して捨てる ボク(種籾)は播かれる前に、「塩水選」という選別をされます。種籾を塩水の中に浸けると、充実のいい籾は沈みますが、やや充実が劣る籾は浮いてしまいます。幸い、ボクは沈んだのでほっとしました。沈んだ籾から育った苗の方が、大きくて丈夫になるそうです。塩水に浮いた籾も、芽は出しますが、いい苗にはならないと言われて、鶏

写真 2-6 余り苗．植えられずに畦に残された苗たちは田んぼを見ているようです

の餌にまわされていきました。ここでボクは仲間の「いのち」を見送りました。

余り苗 丈夫に育ったボクたち苗にも、試練が待ち受けていました。百姓は、田植えする時に苗が不足すると困るので、タネを少し多めに播きます。すると、どうしても苗が余ります。これを「余り苗」と呼ぶのは、残酷な呼び名です。経済的には「もったいない」ことですが、百姓は「かわいそうだ」と言ってくれ、「ごめん」と謝りながら、捨てていました。ちゃんと植えてもらったボクたちからの「ボクたちが頑張るからね」という声は、捨てられ干からびていく苗に届いたでしょうか。

種籾との別れ 秋になると、ボク(稲)たちの「いのち」は米に移りました。藁の中の「いのち」は、土の中で眠りにつきました。人間に食べられて人間の「いのち」を支えることになるボクたちは、消費者のもとに出荷されていきます。その前に「タネ(種籾)」との別れがありました。ボクたちの「いのち」を来年に引きつぐために残ってくれるのです。

最近では「安くていいタネ」が購入できるので、田んぼでタネとりしないお百姓が九〇%を超えているそうです。これは、いのちの引きつぎの仕事の放棄になるような気がします。

ボクたちは「頼んだよ」とタネたちに声をかけて、百姓にも別れを告げて、ふるさとの村を後にして、都会への旅に出ました。

●「実る」のは、いのちを引きつぐこと

稲の話から感じとれることは何でしょう。私たち人間は、生きものが死ぬ時には、いのちを意識し「いのちが終わる」「いのちが失われる」と言いがちです。すべてがなくなる、そんなふうに考えてしまいます。が、じつはいのちは決して終わってしまうわけではなく、どこかに、何かに引きつがれて、つながって続いていく、ということに気がつきませんか。

秋になると新米が食卓にのぼります。前の日まで食べていた米の、次の世代のいのちがそ

こにあります。これはあたりまえのことです。私たち人間のいのちもまた先祖から引きつがれてきたように、田んぼのカエルのいのちが昔から引きつがれてきたように、米のいのちもずいぶん昔から、田んぼで引きつがれてきたのです。

「死」とは実りの別表現ではないでしょうか。私たちは、稲や麦やトウモロコシは実った、と言います。収穫した後も、決して「死んだ」とは言いません。当然のことです。麦も、トウモロコシも、茎や、葉など、人であれば体にあたるところは枯れてしまい、人間にとりあげられた実だけが残ります。けれども実の中には「いのち」が宿っています。とても健気に見えませんか。稲や麦は「いのち」が死ぬのではなく、引きついでいくために実るのです。

「うんこの話」

私たち人間は食べものを食べて消化して排出します。それを「うんこ」と呼んでいます。一日におおよそ二〇〇g、一生に換算すると約五トンになります。このうんこの中の主成分は、水分がおおよそ七〇％、残り三〇％の固形物のうち、食べかすが三分の一、腸の粘膜細胞が剥がれたものが三分の一、そして腸内細菌が三分の一なのです。水分以外では食べかすが一番多いと思っていませんでしたか。腸壁の細胞や細菌がこんなに多いとは驚きですね。

私は食べものを自分が食べていると思っています。たしかに料理して口まで持っていくのは私ですが、喉元を過ぎると、その先は意識では追跡できません。胃や腸や肝臓や胆嚢や膵臓は、私が知らないうちに働いて消化してくれます。食べ過ぎたから、これらの臓器の働きを活発にしようとしても、言うことを聞いてくれません。

さらに驚くのは、私たちが食べる食べものを、腸内細菌が待ち受けて食べていることです。食べものの中の食物繊維は消化器官が出す消化液では分解できずに大腸に届きます。そこで、たとえばビフィズス菌は自らが出す酵素でオリゴ糖や糖タンパクに分解して食べます。そして酢酸や乳酸を出して「悪玉菌」を抑えたり、ビタミンB群を私に提供したり、免疫機能を高めたりしてくれています。これこそ「共生」の模範みたいなものですね。ビフィズス菌以外にも腸内細菌は、一〇〇〇種類以上が住んでいて、その総数は大人一人で一〇〇〇兆個とも言われています。

それにしてもなぜ「うんこ」として、多くの腸内細菌が出てくるのでしょうか。もう想像がつくでしょう。私たちが三度三度、腸内細菌の餌となる食べものを食べるので、細菌たちは増えすぎて外に出るのです。それを私たちは「便通がよくなる」「整腸作用がある」と言って、腸内細菌を褒めているのです。まさに私たち人間と腸内細菌は「生きもの同士」の典型ですね。

この「うんこ」は、昭和四〇年代までは貴重な有機肥料として使われていました。溜枡でしばらく発酵させ(微生物に食べさせ)た後で、畑の土にかけていました。だからこそ百姓は肥料桶を積んで町まで糞尿をもらいに出かけていたのです。ところが、やがて化学肥料が普及し、便所のくみ取りもバキュームカーが登場し、さらに下水道や合併浄化槽に流す水洗トイレへの改造が進むと、うんこは不要なものとして見られるようになりました。しかし、下水道の処理場でも、合併浄化槽でも、し尿処理場でも、そこでの「浄化」というものは微生物が汚れを「食べる」ことなのです。

食べものは自分の末路をたぶんつらい気持ちで見ていると思います。私たちの体も、排出した腸壁を複雑な気持ちで見送っているでしょう。知らないのは私たち人間の意識だけです。しかし近い将来、またこのうんこが見直され、再利用される日がきっとやってくると私は信じています。

3章

いのちといのちをつなぐ田んぼ

福岡県八女市星野村の石積みの棚田（稲の掛け干し）

●田んぼで感じる「いのち」

夜の田んぼで、はじめて赤トンボの羽化を見た時のことをよく覚えています。七月の夜の九時を過ぎた頃でした。畦から懐中電灯の光を、田んぼの暗闇に向けて探します。すると水から出て、稲の茎を登っているヤゴの姿が浮かび上がってきました。じっと見ていると、ヤゴは茎の上の方まで登って動かなくなりました。私は畦に腰を下ろして、目を凝らして待ちました。すると、ヤゴの背中が縦にパッと割れて、中から真っ白なトンボの頭が出てきたのです。ほんとうにびっくりしました。「トンボが生まれてきた」と感じました。

そのまま体が現れてきて、頭を下にして腹側を見せて、仰向けにぶら下がりました。尻尾の先はまだヤゴの中です。

夜中の一二時に近づく頃、真っ白なトンボは大きくのけぞっていた上半身を、急に元の抜け殻の方に戻して脚でつかまります。その瞬間に尻尾が抜けて、背中が上になり、小さな可愛い翅の元がついているのがわかりました。それからが驚きです。一時間ほどかけて、翅が少しずつ少しずつ伸びて広がっていくのです。この様子を、息をつめて見つめていると、トンボの身体の内側から変身を進めている大きな力のようなものを感じました。それこそ「いのち」ではなかったでしょうか。

付近の稲株も照らして見ると、あちこちでトンボが羽化しています。こんなにいっぱい、しかもほぼ同時に生まれているのが「すごい」と感じました。このトンボは西日本に多い赤トンボ(ウスバキトンボ)です(東日本に多いアキアカネは、羽化が夜明け頃なので、明るい中で見ることができるそうです)。

その晩は、田んぼ全体があたかも「いのち」の劇場になったようでした。ところが、ほとんどの百姓はこういう世界を知りません。知ろうとしないと言ってもいいかもしれません。また稲作の技術書にもこうした「いのち」の営みについては書かれていません。

人知れず行われる静寂の中の「いのち」の劇場を振り返ると、田んぼは深い暗闇に包まれ

写真3-1 ウスバキトンボの羽化の様子．(上)ヤゴの背中が割れて，トンボが出てきます，(中)トンボの背中の翅の元が大きくなり，(下)翅が少しずつ伸びていきます

ているだけでした。

●抜け殻を数える

朝になり、昨晩の稲株を見に行くと、ヤゴの抜け殻だけが稲の茎に残っていました。それからです。毎年田んぼの決めておいた場所(五㎡)の四隅に竹を立てて、この中のヤゴの抜け殻を毎朝数えるのが、田まわりの日課となりました。図3-1は、この一三年間のデータをグラフ化したものです。グラフからは様々なことが読み取れます。たとえば二〇二一年は羽化した赤トンボが群れ飛ぶ数は少なめかなと感じていましたが、グラフでもそれはわかります。

またウスバキトンボが田植え後三五日から四五日に羽化してくること。その数は年によって変動が大きいのですが、平均すると、おおよそ一〇aで二〇〇〇匹ぐらい(八株に一匹)だということがわかります。もし、全国のすべての田んぼで、これだけ生まれているなら約二八〇億匹になります。

あの夜の赤トンボの羽化を見ていなかったら、私はこれほど熱心に抜け殻を数えるようにはならなかったでしょう。しかし、抜け殻を数える調査に何の意味があるのかと悩むことも

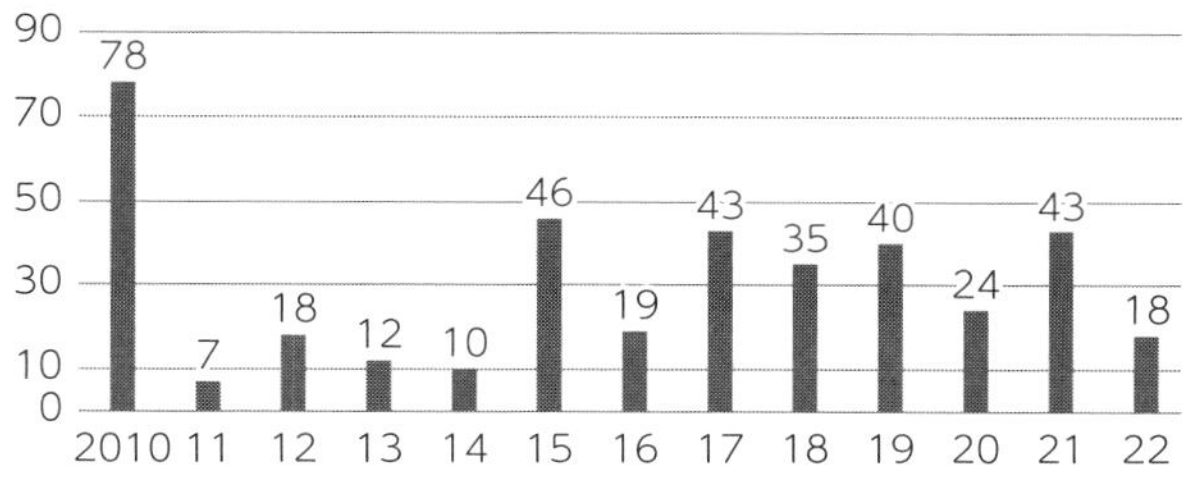

図3-1　田植え後のウスバキトンボの羽化数の推移．毎年違うのは飛来してくる親の数が違うからです．田植え後36〜39日がピークになります

あります。たしかに数えることで生息数はわかります。赤トンボの産卵時期もわかります。友人たちは「あなたのデータで、田んぼは生物多様性が豊かであることが明らかになったし、食料生産だけではない世界が伝わっていますよ」と言ってくれます。ところが農業生産とは関係のない道楽だと言われることもあります。農林水産省も決して「それも立派な稲作の労働時間ですよ」と認めることはないでしょう。

それでも私はいいのです。百姓にとっては、小さな生きものたちの小さな生の営みが、あたりまえに毎年くり返されていることを確かめることができればいいと考えています。こうした「いのち」との出会いを楽しみにして働く百姓もいるのです。稲だけでなく、生きものと「会う」という出来事が数え切れないぐらいに積み重なって、私という百姓の人生は彩られているような気がします。

◉農は生きものを支えているか

日々、「いのち」との出会いを楽しみにして田んぼで仕事をしているわけですが、田んぼにはどうしても排除しなければならない生きものもいます。イネ科の稗（ひえ）もその一つです。田んぼで稗を見逃したら、大変です。稗は一株で五〇〇粒ほどのタネをもっています。それらがこぼれ落ちて、すべて芽を出したとしたら、再来年には、五〇〇×五〇〇＝二五万株に増える可能性があります。稲（二・五万株／一〇a）よりも多くなるのですから、田んぼは「稗田」に変わります。これではとらざるをえません。

実際に稗をとってみましょう。稗は稲と違って、茎と葉がざらざらします。遠くから見ると少し葉の色が違うので、見慣れてくるとわかります。稗を見つけると、その根元をつかんで引き抜きます。根には土がついたままなので、水の中で洗って、ちらっと見ます。「生えてこなくていいのに」と心の中でつぶやきます。そして、腰にぶら下げた籠に入れます。田んぼから上がると、籠の中の稗をまとめて、河原の土手に捨てます。翌日見てみると全部干からびて枯れていました。

写真 3-2　田打ち車を押す私．コナギがいっぱい浮いてきます

私は「よし」と感じて、もう二度と稗のことを思い出しません。この「殺生」を「悪いけど許せよ」と詫びることもありませんし、捨てたからと言って罰が当たることもありません。これはやむを得ないこと、仕方がないことと言っておきましょう。

田植え直後には、草とりのために「田打ち車」を押しました。芽生えてやっと葉が二枚になったコナギがいっぱい浮いてきました。私は「これで、もう草とりはしなくていい」と安堵します。しかし同時に、この田んぼ一枚で「何十万本の芽生えたばかりのコナギを殺したことか」とも思います。「とり残している草もあるので、気にすることもない」と言い訳をすることもあります。

ところが、こういう場合だけではないのです。

●生きもののいのちを奪う職業

いま、紹介したもの以外にも、意図せずに、つまり無意識に生きもののいのちを奪う百姓仕事は少なくありません。稲を植えるために田んぼを耕せば、草は土の下に埋もれて枯れます。田んぼに水を入れて代掻き(しろか)すれば、残っていた草も水没します。溺れ死んだミミズもいっぱい浮いています。草とりでは、草を引き抜きます。稲刈りはまだ生きている根から、茎葉を切り離して干からびるようにします。稲を食べていた害虫たちは餌(えさ)がなくなります。

こうしてみると百姓仕事は、生きもののいのちを奪ってばかりです。そうでない仕事の方が少ないぐらいです。「今日も草とりをしました」。こう言うと「ご苦労さまでした」とねぎらいの言葉が飛んできます。けれど言い方を変えて、「今日も草のいのちを奪いました」と言ったらどうでしょう。物騒な言葉を口にした私のまわりに嫌な雰囲気が、あっというまに広がるでしょう。

そう考えると「草とり」って便利な言葉です。いのちを奪っている現実を見えなくしてくれているからです。「耕す」も「刈りとり」も「中干し」も同じです。「いのちを奪っている」という現実を覆い隠す言葉です。でも、これは姑息(こそく)な言い逃れではありません。むしろ殺生を表に出さない方法を農という営みは、言葉で編み出しているのです。

農業とは「生きものを育てているけど、同時にいのちを奪ってもいる」という現実と「生きもののいのちを奪っているけど、同時に育ててもいる」という矛盾する事実がある職業です。私は、百姓としてこのことをしっかり見つめていきたいと思っています。

百姓仕事をする中で私は、生きもののいのちを奪っていますが、いのちをすべて奪っているわけではありません（一応そう言っておきます）。また次の年には必ずその生きものと会えるように、また生まれてくるように、私は仕事をしているからです。百姓は無意識のうちに、意図せずに、そのようなやり方で仕事をやっているのです。そうした仕事は、記録として残ることはありません。

具体的に説明していきましょう。

たとえば田植えすると稲だけでなく、オタマジャクシもゲンゴロウも育ちます。しかし、オタマジャクシやゲンゴロウを育てることは田植えの目的ではありません。だからといって、オタマジャクシやゲンゴロウを追放して、稲だけを育てることは不可能です。そんなことなど百姓は考えもしません。オタマジャクシやゲンゴロウが育つことを意識的な目的としていないけれど、無意識のうちに目的に含ませています。だからこそ、オタマジャクシの脚が生えるまでは田んぼの水を切らさないのです。しかしそのことをわざわざ書き記すことはありません。

また長年引きつがれてきた仕事は、無意識に身体が動いてしまいます。たとえば草とりで多い草(害草)は、意識的に引き抜いていきます。ところが少ない草(被害をもたらさない草)はついとる手が鈍り、残してしまいます。そもそも目に入らないことも少なくありません。その結果、少ない草は生き残ります。意識的に行使する農業技術とは異なる身体の動きは、記録に残したりしません。

さらに言うと、草はいつ耕されてもいいようにと、早くから花を咲かせて種子をつける個体もあります。またオタマジャクシは水が少なくなると、水のある低いところを探します。生きものの方が百姓仕事に合わせてくれているのです。

こう見ていくと、百姓仕事は生きものに合わせて行う仕事でなければならないことになります。農薬さえ使わなければ、「生きものにやさしい」そして「環境にやさしい」と言う人もいますが、実際には百姓仕事のすべてにおいて、生きものへのやさしいまなざしをもっていなければいけないと私は考えています。

たとえばカエルが冬眠から覚めた頃に耕し始める、トンボが羽化し終わってから田んぼの水を落として中干しする、ヒガンバナ(彼岸花)の花が咲き終わって葉が出る前に草刈りをする、カヤネズミ(茅鼠)の子育てが終わってから稲刈りをする、という具合です。先ほども触れましたが、こういうことは、稲作の技術書には書かれていませんし、記録もされていません。一人一人が、自分の持つまなざしを百姓仕事の中で豊かにするしかないのです。では、

写真 3-3　藁の中で眠るカヤネズミの赤ちゃん

どうしてそうしたサイクルの中で仕事をしていくべきなのか、それは、田んぼが「いのちといのちをつなぐ」場所だからです。

ところが、戦後に開発された近代化技術というものは、農業生産の効率を上げるのが目的だったため、生きものの生のサイクルに合わせにくい技術が多いと言っていいでしょう。そのため「いのちといのちをつなぐ」場所である田んぼが、そうでなくなることも多くありました。

たとえば、殺虫剤は害虫だけでなく、天敵やただの虫まで殺してしまいます。害虫だって、半分も殺せば

十分な時もあるのに、一〇〇%を目指してまかれます。

トラクターで田んぼを耕す爪を回転させると、馬で鋤(すき)を引いていた時に比べて、カエルやミミズは逃げにくくなりました。草も見事に埋め込まれてしまいます。

また田植えをしてしばらくすると、田んぼの水を干す「間断灌水(かんだんかんすい)」や「中干し」をしますが、これは水の中の生きものを殺してしまいます。さらに稲刈りのコンバインは、稲刈りしながら脱穀していくので、バッタやクモは脱穀機の刃に巻き込まれてしまいます。

このことを自覚すると、これまで悩まずに済んだことを、悩まなくてはならなくなります。私は有機農業とは、こういう欠陥、つまり必要以上にいのちを奪ってしまう近代化技術を補うための「無農薬・無化学肥料」だけにとどまっていてはいけないと考えています。むしろこれからの農業は、生きものと必ず「また会える」ようにする仕事と技術を目指すべきだと思うのです。

●農の本質=いのちを引きつぐこと

この「また会える」つまり「いのちの引きつぎ」(いのちといのちをつなぐこと)を、人の手で責任を持って行うことこそ、農の最も深い本質・原理だと私は考えます。しかも農のすごいところは、この「また会える」のが作物だけでなく、田畑のすべての生きものとの関係にまで広がっている点です。そおーっと言いますが、農とはまた会える「相手」を増やしてしまうものなのです。

百姓の仕事は、「毎年、同じ生きものに会える」いやもっと積極的に「顔を合わせる」と言うべきでしょうか。百姓仕事とは、こうしたありふれた日常茶飯事の連続です。しかし、この現象がいつも出現するためには、気の遠くなるような年月、「いのちの引きつぎ」を、人の手で責任を持って行う行為を積み重ねていくしかないのです。

そのくり返しの中で、人間は、人間以外の生きものの「いのち」の大切さに気づいたのだと、私は思います。そしてとうとう、食べられていく「いのち」と自分の「いのち」が同じなのだと知ったのでしょう。

こんなことがありました。田んぼの畦で休んでいた時のことです。目の前を飛んでいたトンボが、飛んできたツバメに捕らえられました。その時に、食べられるトンボがかわいそうと思う気持ちと、エサを巣で待っている雛の喜びを思う気持ちの両方が一緒にやってきました。そしてツバメが去った後の田んぼを見ながら、「いのち」の悲しさと、「いのち」のありがたさの両方が胸に迫ってきました。

もう一つ私には忘れられない苦い思い出があります。私たち夫婦は田植え後四〇日間は、泊まりの旅行はしないことにしています。田んぼが心配だからです。ある年、どうしても一泊しなければならなくなり、田んぼには川からたっぷり水を引き入れ、一番上の田んぼから一番下の五枚目の田んぼまで、次々に水をかけ流して、最後は余った水が川に流れ落ちるようにして、出かけました。

ところが帰宅して、田んぼに行くと、一番下の田んぼだけが干上がってしまっているのです。オタマジャクシは白い腹を見せてひっくり返っています。慌てて川からの水の取り入れ口に駆けつけると、上流から流れてきたビニール袋が水口に張り付いて、水がほとんど入ってきていないのです。急いで水を入れましたが、間に合いませんでした。その田んぼのオタマジャクシはみんな死んでしまったのです。

オタマジャクシの死骸を前にして、「ごめんよ。悪かったよ」と謝りました。私が出かけたために、その田んぼのオタマジャクシ六万匹のいのちが失われたのです。翌日から、他の田んぼはオタマジャクシがぴちぴち泳ぎまわっているのに、その田んぼだけは、中を歩いても、しーんとしています。私はとても「さびしい」と感じました。もうこういうことは二度としてはいけないと肝(きも)に銘(めい)じたのです。

農耕にとって、「いのち」の引きつぎは、タネとり、タネ播きだけではないのです。毎日の百姓仕事の中で、つねにカエルへまなざしを向けていると、どんな時もカエルの「いのち」を感じるようになります。つまり百姓は、田んぼに水をためるのは稲のためだとは意識していますが、生きもののためにも無意識に水をためている、と言えます。だからこそ、うっかり田んぼの水を切らしてオタマジャクシを殺してしまったら、とても胸が痛みます。この話を仲間の百姓にすると、ほとんどの人が「私もそう感じた経験がある」と言います。

●草木へのまなざし

農耕によって「いのち」の引きつぎへのまなざしが強まると、作物の近くで育つ作物以外の草木（植物）へのまなざしも広く深くなっていきます。年寄りの百姓に聞き取りをしていると、動物の名前よりも植物の名前の方をよく知っています。何よりも「草とり」の時に、名前を呼びながらとっているからです。

草の芽生えは、よく気づきます。葉が伸びていくのも速く、実がついて、枯れていくのもよくわかります。いのちが現れて、死んでいくのを、はっきり感じることができます。こうした体験を積み重ねる中で草木へのまなざしは、さらに深くなり、草木の「いのち」への憧れとなっていきます。

　草は毎年枯れても（木は葉が枯れても）、必ず春になると芽生え、木には新緑が芽吹きます。新芽にしろ、新緑にしろ、春の輝きは、「いのち」が引きつがれた喜びにあふれています。この再生する生命力に人間はかなわないのではと思います。

　だからこそ人間は、人生の節目や様々な状況を草木になぞらえて、たとえば「やっとあなたも芽が出たね」「私の努力が実を結びました」「あの人は心根がやさしい人ですね」「私は心が折れてしまいました」「それは枯れた境地ですね」と表現するのかもしれません。

●「かえる」ということ

　ある日のことです。コンクリートの道の上に、アブラゼミ（油蟬）が落ちていました。私はそれを見つけて、手に取り、死んでいるのを確かめて、そばの畦の土の上に放りました。そのまま放置しておいてもいいのに、つい私はどんなところが死に場所としてふさわしいかを考えたのです、コンクリートよりも土の上の方がいいと思ったのです。いまでも「死んで、土にかえる」という言い方をします。いまでも人間以外の多くの生きものは、死んだら土にかえっていきます。

帰りがけに、ふと気になってセミの姿を探しました。するとアリがいっぱい群がっていました。「よかったね」と私は声をかけました。食べられると土にかえるのが早くなります。「土にかえる」とは、食べられて排出されたり、腐っていったり、次第に形が崩れていったりして、土と区別がなくなってしまうことです。このアブラゼミがまた生まれてくるなら、土の中からのような気がします。なぜなら「土にかえって」いったのですから。百姓仕事をするうちにそう感じるようになった私がいます。

ところで、私たち百姓は、その「かえる」という言葉に救われることがしばしばあります。いのちを奪われた生きものたちは、土に「かえる」のですが、時間を経て次の世代が生まれてきます。すると、百姓たちは「また今年も生まれてきたね」「また今年も会えたね」と出会いを喜ぶことができるからです。「かえって」きた生きものの姿を見ることで、自分が奪ってしまったいのちが、またいのちをつないでかえってきた喜びに出会えるからです。その一方で去年のことをすっかり忘れてしまえるからです。このことで私たちはどれほど救われているかしれません。

「かえる」という言葉は実に不思議な言葉です。死んでいく時だけでなく、生まれてくる時にも使われます。鳥の雛や、虫たちが、卵から孵化するのも「かえる」と言います。「よみがえる」とは、「黄泉（よみ）の国（死者が住む国）」から、この世にかえってくることを指しています。体は消滅しても、「いのち」は引きつがれて、よみがえって、また生まれ、また会えるのです。だからこそ、百姓は、百姓仕事による殺生を苦しむことがなかったと言えるでしょう。

田んぼで、ふと目を落とすと、稲の株と株との間に、クモの巣が張られていて、それにいっぱい「ただの虫」のユスリカの成虫がかかっていました。その数一〇〇匹ばかりです。田んぼの土の中から羽化して、飛び立ってすぐにクモの巣にかかってしまう運命って何だろう、と思います。なぜか同情してしまうのは、同じ生きもの同士だと感じる「共感」と「共苦」があるからです。

百姓をしていると、生きもの同士の生死にいつも直面します。前述したツバメがトンボを食べる例も同様です。しかし百姓が直接かかわっていないように見えるトンボの死も、ユスリカの死も、田んぼという世界で起きている以上、自分と無関係だとは思えないのです。百姓である私は、生きているものの死について、とても敏感になり、深く考えるようになりました。それは同じ生きもの同士としての「いのち」を感じてしまうからです。

コラム　「死体から生まれた食べもの」

日本の神話では「食べもの」は、殺された神の死体から生まれてきます。『古事記』には、須佐之男命によって殺された「大気都比売神（おおげつひめ）」の、二つの目に稲種、二つの耳に粟、鼻に小豆、陰部に麦、尻に大豆（だいず）が、「生（な）り」ましたとあります。「生る」とは生まれることです。これを「タネ」として、農耕が始まったとしています。『日本書紀』にも似たような話があります。

たしかに死体から、食べもの（穀物）が生じるのは異常な感じがしますが、百姓としてはとても魅力的な話なのです。『古事記』の成立は七一二年ですから、稲作が始まってからもすでに一五〇〇年は経っていますし、農耕が始まってからは優に一万年以上も経っています。『古事記』も『日本書紀』も、日本列島の誕生や人間や農耕の始まりを語り継いできたものです。

たしかに動物の死体を埋めたところから芽が出た草は、死体が腐れて肥料分になるので、よく育ちます。そういう農耕の体験が反映されているのかもしれません。でも、私はもっと深い理由があるような気がします。生は死から始まります。なぜなら、死は必ず生につながるからです。「死」は決して、悪いことではありません。農耕では、「死」は「実り」のことでもあるからです。さらに「また会える」という生死の引きつぎは、農耕によって人間のものになりました。

だからこそ、「大気都比売神」は、死んでも、また穀物のタネとして、生まれかえってきたのではないでしょうか。だからこうした「神話」が生まれたのです。いのちは、死から生まれるから、「よみがえる」とも言うのです。

●不自然な死が増えていないか

「死は必ず生につながる」と感じる私にとって、現代社会は、人間の「いのち」だけでなく動物や植物の「いのち」も大事にされていないように感じます。

コロナウイルスは、人間だけでなく動物にも感染します。オランダやデンマークでは、コロナウイルスに感染した少なくとも五〇〇万匹以上のミンクが「殺処分」されています(二〇二一年時点)。

コロナウイルスだけのことでも、またヨーロッパだけのことでもありません。日本も同様です。ある農場の牛からBSE、口蹄疫(こうていえき)が見つかったら、また養豚場の豚が一頭でも豚熱(豚コレラ)に感染したら、養鶏場の鶏が一羽でも鳥インフルエンザに感染したら、感染していないすべての家畜も「殺処分」されてきました。

このように大量の生きものを「殺処分」するということは、人間が食べるために「いのちを奪う」こととは次元が違います。「どちらも殺すことには違いはない」と言う人もいますがほんとうにそう言えるでしょうか。食べものである生きものの「いのち」は、人間の「生命」とは別物とされ、実に軽くみられるようになっていると私には思えてなりません。

次に紹介するのも、大量に生きもののいのちを奪った事例です。

二〇二一年、全国各地でウンカが大発生するという予報が多くの県の病害虫防除所や農業試験場から出されました。

そのため農薬をあらかじめ稲の苗に吸収させて田植えするように、農協や農業改良普及センターから指導がなされ、各地で実施されました。苗に染みこんだ農薬は、田植え後六〇日も殺虫効果がある強力なものです。ところが予報がはずれ、その年、ウンカは、大発生するどころか、例年より少ないぐらいでした。しかし農薬を散布した結果、ウンカだけでなく多くの虫たちが死にました。

私は若い頃、農業改良普及員という指導員をしていました。その頃の田んぼの農薬散布は、虫や病気が発生しなくても、決められた日に、村中で一斉に農薬を散布することが当然のように行われていました。そのことに疑問を感じ、またそういう技術を指導する自分を情けなく思って、私は「減農薬」という考え方を一九七八年に提唱しました。そして虫見板（むしみばん）を開発し、この板を使って虫たちを観察して、被害が出ると判断した時だけ、農薬を散布するという技術を普及させました。すると農薬の散布はそれまでの一二回から、二回に減らすことができました。さらに無農薬への道も開かれました。

つまり、農薬を極力使用しない方法もあるというのに、未だに虫が発生するかどうかを百姓自身が確認せずに、予防のために農薬を散布するという技術が、平気で全国各地で行われています。私が一番心配しているのは、不必要な農薬散布で生きものの「いのち」を奪うことへの百姓の感性が麻痺していくことです。百姓仕事の中の「いのち」の引きつぎの感覚が根底から破壊され続けています。

●農業はどこに進もうとしているのか

こうした状況を見ていると、農業は「いのち」を大切にする方向に発展しているのではなく、軽んじる方向に「進歩」していると言わざるをえません。

きっかけは明治時代以降に世の中が近代化に向けて大きく変化したことです。国富を増やし、国力を増して、西洋先進国に追いつくのが日本国家の目標となったからです。工業ではいち早く、資本と新しい技術が導入され、生産が飛躍的に増えていきました。そこで、農業も「資本主義の発達に合わせる」「進んでいる他産業を追いかける」方向へと舵がきられました。

昭和初期に、東畑精一（とうばたせいいち）という農業経済学者はこのことを、毎日の仕事のことなら百姓が一番くわしい。学者や政治家の出番はない。しかし、これからの社会は毎年同じ仕事をしていては、資本主義の発達に乗り遅れてしまう。農業を資本主義の発達に遅れないようにするのが、政治家と学者の責任である、と『日本農業の展開過程』（岩波書店、一九三六年）に書いています。つまり、世の中が変わらなければ、今のままでいいが、資本主義を導入してしまった以上、他に選択肢はないというわけです。以来、このような考え方が日本の農学と農業政策の主流となりました。

しかし私は、毎年同じ仕事とくらしではなぜいけないのか、よくわからないのです。けれど「他の産業を見てごらん。農業も進歩すると、もっと仕事が楽に、くらしも便利に、経済的にも儲（もう）けを増やすことができますよ」と言われると、ついその気になる百姓がいてもおかしくありません。

じつは、当時の百姓の中に全く別の考え方を持っていた指導者がいました。橘孝三郎（たちばなこうざぶろう）という茨城県の百姓です。彼は家族で山野を拓き、百姓をしながら青年たちの塾を開き、資本主義ではない（社会主義でもない）、別の社会のあり方を真剣に考え続けました。

そして、農業は資本主義とは合わない。なぜなら、食べものは人間が製造しているのではなく、天地自然のめぐみを百姓が手入れをして、（農を本として）受け取っているものだからだ。百姓の相手である作物や生きものたちは経済で生きているのではない、と見抜きました。橘の考え方は、当時の百姓の貧しさと、社会的に虐げられた農村を救おうとした「農本主義」の思想をリードしました。

現代から振り返ってみると、どちらの考え方が正しかったでしょうか。私は、橘孝三郎の考えに基づいた社会になっていれば、農業はここまで荒廃することはなかった、と思います。

●農業はどう変化したのか

明治時代から大きく変化した農業でしたが、戦後はさらに資本主義の発達に乗り遅れないように「農業近代化（進歩・発展）」を国は推進してきました。多くの農家がそれを受け入れました。

まず、国は百姓仕事に機械や化学肥料や農薬を取り入れるように指導しました。続いて農地を改良して広くして仕事の効率が上がるようにし、面積あたりの労働時間を減らしました。そのために百姓は、機械や資材などの購入に、お金を使いました。それは、他の産業の発展につながりました。一方、お金を使うようになったので「経営」感覚が百姓には必要になりました。つねに市場価値を意識するようになりました。

この結果、百姓は、そして農業はどうなったでしょうか。

百姓がどんどん減っていきました。江戸時代には百姓の数(現在では農家人口に相当します)の全人口に占める割合は、約八〇%だったと言われています。統計数値が残っている一九〇五(明治三八)年は、農家人口は二九七五万人で総人口四六六二万人の六四%です。大正時代になると農家人口は五七%となり、一九六〇(昭和三五)年には三七%でした。一九九〇(平成二)年では一四%、二〇二〇(令和二)年には三・八%(農業従事者数一五二万人で一・二%)になりました。

それだけではありません。農業に資本主義の考えを取り入れると、百姓は仕事に余裕がなくなっていきます。つねに効率が上がるようにし、面積あたりの労働時間を減らしつつ、収穫量も上げるとなると、たとえば田んぼの見まわり(田まわり)の回数は、毎日二回だったのが一回になり、二日に一回になり、三日に一回と減り続け、だんだんとそれも負担になって

写真 3-4　刃の先にあるネジバナを切るまいとする草刈り機

きています。

そこで田んぼの水口にロボットを設置して、水をコントロールさせる「スマート農業」というものを国は本気で進めようとしています。

田んぼの畦草を刈るのに一時間かかるのと、四五分で終わるのとでは、四五分で終わる方がいいですよね。労働時間も短いし、草刈り機の燃料の消費も少なくて済むし、効率がいいというわけです。しかし、四五分で済ますためには、百姓は急がなくてはなりません。急ぐとカエルなどをよく切り殺します。効率を上げると生きものにかまってはいられなくなるからです。もともと生きものの生のリズムと同じだったはずの人間のリズムが、いつの間にかズレていき、人間のほうがずっと速くなってしまったからです。そのことに気づいても、修正できない農業になってきました。

　最近では、私の住む村の中でも畦に除草剤を散布する百姓が増えています。たしかに畦草刈りを急いでやるよりも、労働時間を減らすことはできます。しかし、生きものにとっては、草刈り機で切られるという程度では済まなくなります(写真3-4)。畦の草という生きものが生きられなくなっているのですから、当然、動物はとても住みにくくなります。しかし、そういう田んぼでも稲は育っていて、米という食料の生産は行われています。

　つまり田んぼは「米さえ生産できればいい」という感覚で、とらえられるようになっています。現に米どころとして有名な県では、田んぼの畦の七割ほどに除草剤がかけられていて、田んぼの風景としても異常です。それは農業への信頼を根本的に裏切ることになるのではないでしょうか。そこまでくると「田んぼは自然だ」とは、言えないと私は思います。

●「いのち」を見つめる農への転換

　私は、百姓は米や野菜や果物や花を「つくる」ことはできないと考えています。つくるのは、米や野菜や果物や花、いずれも作物自身が持つ力とそれを支え続ける天地自然の力です。そして百姓は、それら作物の手入れをして、日々「いのち」を見守るだけです。なんだか消極的な印象ですが、そうではありません。

受け身であることを自覚しながら、作物を見守ることは、とても豊かな感覚を私たち百姓にもたらしてくれます。何よりも生きものや天地自然への感謝の気持ちが強くなります。一緒に生きているなぁと思いますし、いつも田畑や村を包んでいる自然環境に自分自身も包まれて、一体化する感覚も芽生え、育っていきます。

そもそも百姓は、「作物はつくるのではなく、できるものだ、とれるものだ」と教えられてきました。そう思って農作業をする百姓の多くは、作物は天地自然からの「めぐみ」だという感覚が強いのです。

しかし、現在は、人間が作物を「つくる」という気持ちが、百姓の中でも強くなってきている気がします。そうした人間の欲望のためだけに新しい技術を行使すると、仮に成果が上がったとしても、だんだんと息苦しくなってきそうです。その結果、生きものの「いのち」が見えにくくなる、そんな気がしてなりません。なぜなら、生きものにも、役立つこと、有用であることを求めてしまうからです。何に役立つかがわからなくても、そこにあるそれだけで、意味がある、そう思えなくなってしまうのです。

たとえば鳥の被害を防ぐために、ドローンを定期的に飛ばして、稲を食べるスズメを追い払う技術があります。しかしそんなものが飛ばされたら、田んぼにやってくるスズメだけでなく、サギ（鷺）やツバメ、トンボも困ることでしょう。それは害になる時期の鳥だけを見て開発された技術です。あるいはアブラムシを食べてくれる天敵のテントウムシ（天道虫）の翅を退化させる改良をしている人たちがいます。そこにずっといて、アブラムシを食べ尽くしてくれるようにするためです。しかし、飛べなくなったテントウムシは、アブラムシがいなくなったらどうすればいいのでしょう。そもそもテントウムシにとって飛ぶことは楽しみなのかもしれないのです。

こうした人間の欲望が強くなる中で、私たち百姓は、これからどういう農業を目指していけばいいのでしょうか。「経済発展」と「経済効率」をいままで以上に追い求めていくのか、それとも、別の道を切り拓いていくための準備を始めるのか……。

コラム

「言葉にみる農耕の始まり」

家のまわりの草木を刈り払って整地すれば「た」が生まれます。「た」の土を「かえす（返す)」ことから「たがえす」、そしてやがて「たがやす(耕す)」という言葉が誕生しました。縄文時代には水田はありませんでしたので、「た」と呼んでいたのは畑です。ところが弥生時代になって稲作が始まると、田んぼも「た」と呼ぶようになり、紛らわしくなりました。そこで「た」を「田」と「畑」に分けました。「畑」という字は焼き畑を意味する「ほた(火田)」から日本で新たにつくりました。「畑」という字は、漢字(中国の漢の時代の文字)ではなく、日本で新しく造字された国字なのです。このように「たがやす」は、縄文時代から使われていた言葉だということがわかります。

「タネ」という言葉にも「た」がついています。「た」の土を返して、「タネ」を播けば、芽が出て、根が伸びていきます。「た」に根が張っていくのです。そこで「タネ」という言葉が生まれたのです。これも縄文時代のことです(「根の国」とは、根が伸びていく土の下にある世界で、死者が行くところです)。

さらに水田稲作が始まると、新しい言葉がこの国で次々につくられました。イネは、当時は「シネ」と呼ばれていました。ここにも「根」がついていますが、「シ」や「イ」の語源は不明です。コメは古くは「ヨネ」でした。これにも「根」がついています。その後漢字の「米」が入ってきた時には、「メ」と読んでいましたが、小さく丸い単粒種が入ってきた時に「小米」と変わったのではないでしょうか。「アゼ(畦)」は古くは「ア」と言っていましたが、その後

「クロ」と呼ぶようになり、さらに「アゼ」に変化しました。いまでも東日本では「クロ」と言うところが少なくありません。

4章

食材＝食べ物≠生きもの？

毎年，お正月には新米の餅とごはんを用意します．米をせいろでむした後，石臼と杵でお餅をつきます

◉季節の使者が食卓にやってくる

その年になってはじめて食べる食べもの(初物)を目の前にした時に、「そうか、もうそんな季節になったんだ」と思う人は結構いるのではないでしょうか。

初物に出会うということは、季節がめぐって、また生きものが食卓にのぼってきたということです。私たちがこうして、季節を感じるのは、気温の上がり下がりや、景観が変わるといったことだけでなく、食べものが体験してきた季節をメッセージとして受け取っているからではないでしょうか。わが家では新米を、毎年、年を越してから食べ始めます。その時にはあらためてその米がかかわってきた季節(前の年の春・夏・秋)を感じて、「おいしい」と思います。

食べものは、生きものとして、天地自然のもろもろの力を借りて育ち、そして実ります。その天地自然の力が食べものの体に蓄積しています。その力を私たちにも分けてくれている気がします。私の祖母がよく「初物を食べると寿命が四九日延びる」と言っていたことを思い出します。

小さい頃、私の家では、「初物は神さまに供える」という習慣がありました。その年にはじめてとれた野菜や果物、米、そしてはじめて産んだ鶏卵は、まず神棚に供えて「今年もとれましたよ」と報告したものでした。収穫に必要な天候をもたらしてくれた神さま（それは、私たち百姓にとって「天地自然」を指します）に感謝していたのです。

●食卓で出会う

私は食卓で、食べものによく話しかけます。

まずは「あなたは、どこでとれたの？　どこから来たの（産地はどこ）？」と尋ねます。次に「大きく育ったねぇ（お日様がよくあたったのかな、めぐみの雨もちょうどよかったのかな）」と言います。

私は週に二日ほど料理をしますが、その時もわが家の畑でとれた野菜を切りながら、「今年はとれるのがずいぶん早かったね。暑かったからかな……」「虫に食われて痛かったろう」と心の中で話しかけます。

買ってきた魚をさばく時には、必ず「漁師はあなたをどこでとったのかなぁ？」と尋ねます。するとそれを横で聞いていた妻が、魚に代わって「地魚よ」と答えてくれます。私は、それを聞きつつ、「久しぶりだね。磯焼けはおさまったかな」と話しかけながら、味付けをします。そして料理ができあがって、みんなで食べている間も、「ごめん。塩味が強かったね」と謝ったり、「今度は、トマト味にしてみるからね」と心の中で提案したりします。

また一緒に食べる家族とも、食卓の上の食べものについて、産地や成長具合、味について、あれこれ話します。

ところが現代では、食べものとの会話はおろか、そもそも食卓での会話も減ってきているという調査があります(内閣府「食育の現状と意識に関する調査」二〇一一年)。

農林中央金庫の二〇二二年の調査によると、小中学生では食事の時に「家族と話をする」のは八六%、同時に「テレビを見る」も七六%でした。その話題は「学校で起きたこと」「友だちのこと」「テレビやタレントのこと」「ニュースのこと」「クラブ活動のこと」などで、食べもののことはほとんどありません。

それに誰かと食べることがなければ、食卓での会話は成り立ちません。二〇一七年度の『食育白書』(農林水産省)によると、週に四日以上、すべての食事を一人で食べている(孤食)人は一五%です。

私が小さい頃は、毎年春になるとタケノコ(筍)やエンドウマメ(豌豆豆)が食卓にのぼり、夏になるとトマトやキュウリ、果物ならスイカ(西瓜)を食べ、秋になるとサツマイモ(薩摩芋)を焼き、冬になるとハクサイ(白菜)が入った鍋をつつき、食卓で季節がめぐっていましたし、食べるものから季節を感じていました。だからでしょうか、会話も季節（自然）のこと、食べ物のことが一番多かったように記憶しています。しかし、今は全く違う現実が広がっているようです。

●食べるのが面倒くさい

もう一つ気になったのは、朝食を食べない人がいるということです。「若い世代の食事習慣に関する調査」（農林水産省、二〇一九年）によると、朝食を食べない人が二三％もいました。二〇〇六年のＮＨＫの調査でもすでに、朝食を食べない人は二二％いましたから、かなり前からこの現象は始まっていたとも言えます。そんな私がさらにびっくりしたのは、「朝食をつくるのは「面倒だ」」と答えた人が、同じ農林水産省の調査では五一％もいたことです。さらに二〇二二年六月の別のネットでの調査では、食べることが「面倒くさい」と答えた人が五四・二％もいました(https://prtimes.jp/main/html/rd/p/000000134.000054946.html)。つくるだけでなく、食べることも面倒くさい……なんて。現代の人にとって、「食べもの」との関係は、どうなっているのでしょうか。

こうした調査を見比べていくと、食べることの意味が変わってきていることがわかります。百姓は、「消費者のニーズに合わせた生産をしましょう」と政府から言われ続けてきました。一方の消費者は、「好きなものを食べて、しっかり栄養をとって健康であればいい」となってしまっているようです。そう思えてなりません。こうした考えでは、食べものが生きものであることを忘れてしまいます。また、忘れさせるための情報があふれています。

いつのまにか、食べものは生きものではなく、「食材」「モノ」だ思う気持ちが私たちの中で強くなってしまっています。

●私たちは何を食べているのだろう

食べもののおいしさを、味だけでなく、香りや色や食感などを総合して決めるのはどうしてでしょうか。それは、私たちのこれまでの経験と記憶が最も影響するからです。記憶の中で、食べものが生きものだった時のイメージがよみがえるのです。赤い色の甘い液体は、それだけでイチゴジュースを連想させてしまいます。それは食べものを舌だけで味わっているのではなく、色やにおい、さらには食べた時の記憶、そして食べものが生きものだった時の姿の記憶まで動員して味わっているからです。

だから同じ料理を食べても、人それぞれに味わいが違うのは当然なのです。つまり食事の豊かさは、「食材」の成分だけでは決められないのです。

ところが現代社会は、こういう食べものに対して一人一人が持っている味わい、つまり嗜好を知らぬうちに殺しています。もう三〇年ほど前のことですが、友人の百姓から面白い話を聞きました。彼はその年から有名なコシヒカリを少しだけ植えました。収穫後、田んぼを借りていた近所のお婆さんを喜ばせようと、小作米（土地を借りているお礼の米）としてコシヒカリを持って行ったそうです。ところが数日してお婆さんが訪ねてきて、「あの米は粘りが強すぎて口に合わないので、去年までいただいていた日本晴（米の品種名：当時は日本でよく作付けされていた品種）に替えてもらえないか」と文句を言われたそうです。

友人は苦笑いしていましたが、長年食べ慣れた米が一番おいしいという実例です。現代の米の品種はコシヒカリの味を目標にしていて、品種改良をする時にもコシヒカリと他の品種を交配して、その子孫からコシヒカリに味が似て、栽培しやすい（倒れにくいとか、病害虫に強いとか）新種を選び出そうとしています。

かつては、米の嗜好は東日本は粘りの強い米が、西日本は粘りが弱くて味がある米が好まれていました。そういう地域性や食べる人の好みを、いつの間にかコシヒカリ風を好むように誘導されてしまっていることに私たちはそろそろ気がつくべき時期にきています。お米のブランド名や栄養や、さらには「この米の食味値は全国のトップクラスの八五点ですよ」「健康にいい成分が含まれています」といった売り言葉に惑わされずにいたいものです。

では消費者として、何を大事にしたら、そうした農産物を選択できるようになるのでしょうか。大事な点を消費者の立場にたって考えてみました。それは、次の三点です。

①どういう自然環境の中で育ってきたか。どういう生きものたちと一緒に育ってきたか。

②どこの誰に、どういう手入れをして育てられたのか。

③口に入れた時に、季節が浮かんだり、記憶が湧きあがってきたりするか。

この三つが、農産物を選ぶ際の大切なポイントです。

日常の買い物をスーパーマーケットでしている人には、このたった三つを実行するのも、なかなか大変なことかもしれません。それでも最近のスーパーでは、「産直コーナー」を設けているところもあります。宣伝もかねて、どこの畑で、どんなふうに育てているかを明記しているところもあります。「どういう生きものと一緒に」までは、難しいかもしれませんが、生産者に直接連絡を取ったり、お店の人に聞いてもらったりしてもいいかもしれません。「食べたらおいしかったから、知りたいです」と言えば、きっと教えてくれるはずです。できたら、畑や田んぼを見学に行くのもいいかもしれません。また「産直」「即売所」で農産物を手に入れている人なら、知ることは容易でしょう。

そして百姓の立場としては、できれば食べものが生きものだった時の感触を残したまま、みなさんの食卓に農産物を届けることはできないものかと考えます。

ところが、忙しすぎる現代人は手っ取り早く、食べるものを求めてしまいがちです。結果として、①から③の事柄よりも、価格や栄養や宣伝文句、ブランド名や流行で食べるものを選ぶようになってしまいました。なぜなら面倒なことがないからです。その結果、日本は食料自給率がなかなか上がらずに、海外からの輸入農産物に依存しています。

●「輸入」が増えたのはなぜ？

日本は食べもの（農産物）の輸入が多い国で、二〇二一年度の食料自給率はカロリー換算で三八％です（農林水産省ホームページ）。かつてはその原因は「農地が狭いから」と説明されていましたが、事実は違います。

実際には、二八万ha（日本で一番広い新潟県の水田面積の二倍ほど）の農地が、耕されずに荒れ果てています。さらに米は余っていると言われながら、一年に六八万t（一三〇〇万人分に相当）も輸入されています。

そんな日本国政府が本格的に「食料自給率の向上」を政策目標に掲げ始めたのは、案外新しく二〇〇〇年からです。それから毎年のように国は「食料自給率」を計算して発表しています。

しかし私たちは、自分の食卓の「自給率」を意識することはありません。そういう習慣はもともとありませんでした。手に入るもの（かつてはそれはほとんどが地元でとれたものでした）を買って食べるという習慣をずーっと続けてきたためです。「自給」という考え方は、「自給」できなくなってはじめて意識され始めるのです。したがって、表4-1を見たら驚く人も多いのではないでしょうか。

外国産の農産物を多く食べているということは、どういうことでしょう。まずその農産物を育てた土地、人とはそうそう出会うことができません。また、その農産物と一緒に育ってきた生きものたちと出会うことも簡単にはできません。そのために、食べた時に季節や記憶と結びつきにくくなるのです。

野菜の中で、とくに生鮮野菜の輸入で多いのは、タマネギ（玉葱）、カボチャ（南瓜）、ニンジン（人参）、ネギ（葱）、ゴボウ（牛蒡）の五種です。この五種で輸入の約七割を占めます。しかし、三五年前まではタマネギ以外はほとんど輸入されていませんでした。大豆（だいず）の自給率はわずか六%です。大豆を原料にした醤油や味噌、豆腐、納豆などは、輸入大豆に頼っているといえます。

生産国や産地は、経済の事情で移り変わりますが、もともとは国内でまかなえていたものを、なぜ海外から輸入するようになったのでしょうか。自給率が低いと何が問題なのでしょうか？

農林水産省の「食育推進基本計画」(二〇二一年から二〇二五年度)では、「産地や生産者を意識して農林水産物・食品を選ぶ国民」が七四%もいるようですが、この数字は実態を表しているのでしょうか。

表 4-1　主な食べものの自給率と主な輸入先(2019 年)

食べもの	自給率	主な輸入先
米	97%	米国
小　麦	16%	米国，カナダ
大　豆	6%	米国，ブラジル
トウモロコシ	20%推定	米国，ブラジル
豚　肉	49(6)%	米国，カナダ
牛　肉	35(9)%	豪州，米国
鶏　肉	64(8)%	ブラジル，タイ
鶏　卵	96(12)%	イタリア，オランダ
乳製品	59(25)%	豪州，ニュージーランド
野　菜	79%	中国
果　実	38%	フィリピン，ブラジル
芋　類	73%	米国，中国
魚　介	56%	チリ，中国
海　藻	65%	中国，韓国

※(　)内は餌の自給率をかけた率(国内で飼っていても，餌を輸入しているなら自給率は下がります)
(農畜産業振興機構「食料需給表」をもとに作成)

●食べものが不足するとどんなことが起こるのか

最近では「食料の大切さは、いざという時に足りなくなると困るからだ」という考え方を「食料安全保障」と呼んでいます。たしかに食料が不足すると、とても困ります。しかし、こういう言い方は、何か根本的に間違っているような気がするのです。今から三〇年前の一九九三年に「平成の大凶作」と呼ばれる事態が生じました。その年は冷害で米が平年の七四％しか収穫できず、政府は外国から急遽二五九万tの米を輸入しました（農林水産省ホームページ）。ところが輸入したタイ国産の米がまずい（口に合わない）という理由で、捨てられる事態が起きました。するとその翌年、国産米の消費は減ってしまったのです。「食料の大切さが身に染みる」どころか、消費者にはカネがあれば「米がなくても、他にパンや麺など食べるものは手に入る」という皮肉な教訓を残してしまいました。

それだけではありません。日本が急に大量の米を買い付けたために、国際市場の米の価格が暴騰し、アフリカのセネガルなどではそれまで輸入していた米を買うことができなくなりました。当時、私だけでなく多くの日本人がこのことを知りませんでした。

現在、ウクライナで起こっている戦争でも同じことが言えます。小麦の世界的な生産国であるウクライナから、小麦が輸出できないために、ある国では、飢餓が深刻になっていると報道されています。また飼料の高騰（こうとう）も世界的に問題になっています。しかし、日本ではウクライナからの小麦の輸入がほとんどないので、心配している人は多くはありません。

食べものが不足して「困る」と言う時には、たいてい自国内のことが優先して語られがちです。そもそも「自給率」という尺度は、国単位のものだからです。そして「喉元（のど）過ぎれば熱さ忘れる」のことわざ通りに、「いざという時」はすぐに忘れられます。

「いざという時（非常時）」を想定して大切さを説明するのではなく、あたりまえの日々でこそ、大切さを実感して、価値づけることはできないものでしょうか。

非常時に備えるために作付けするのではなく、そもそも地元で食べてきた農産物を、もう一度地元で作付けできるようにする、それだけのことなのです。そうすることで、私たちは、生きものと「また会える」ことが可能になるのです。それは政府から言われる前に、一人一人が自覚して実践するしかないのです。

●食べることと出会うこと

もしあなたが、一杯のごはんを食べることをやめたら、多くの生きもののいのちを奪うことになります。このことを図式で表現したのが私たちのＮＰＯ法人「農と自然の研究所」が

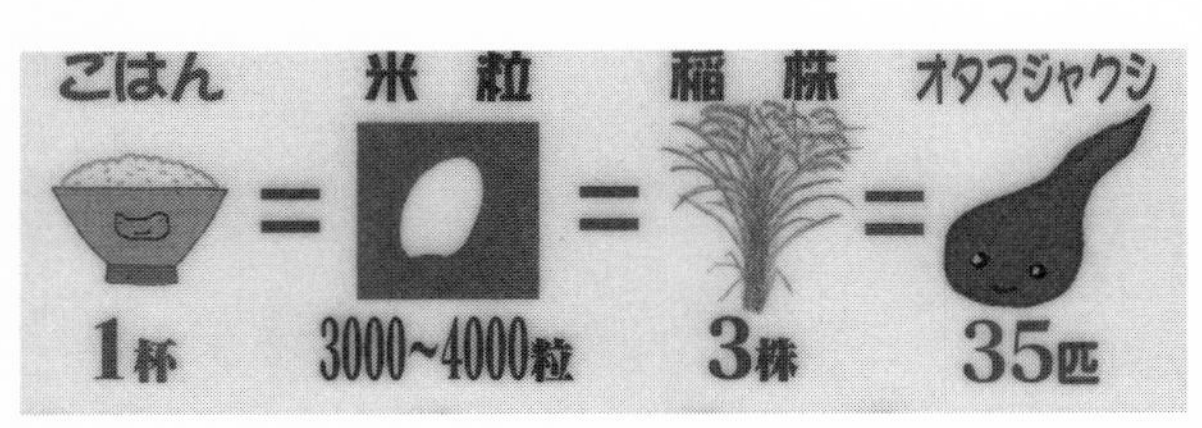

写真4-1　人間とごはんと生きものの関係を表した「生きものもごはんも田んぼのめぐみ」下敷き

作成した下敷きです(写真4-1)。

その一部(凡例)を掲げて、「生きもの語り」で、「稲」に説明してもらいましょう。

ボクはごはんとして茶碗に盛られています。ごはん一杯は、米三〇〇〇~四〇〇〇粒で、稲三株分です。ここまでは、すぐにイメージが湧くでしょう。でも、それがなぜ、オタマジャクシ三五匹と「=」でつながるかが頭では理解できないかもしれませんね。そこを経験や思いでつなぐのです。田んぼに入ったことがある子どもたちは「稲株のまわりにオタマジャクシが三五匹いるということでしょう」とすぐに答えます。その通りですが、ここからが問題です。

もしあなたが一杯のごはんを食べなければ、ボクたち稲三株は、田んぼに植えられることはありません。そうなれば、そのまわりで生まれて育っていたオタマジャクシは生きる場所を失います。

ということは、「ごはん一杯を食べないということは、オタマジャクシ三五匹を殺している」ことになると思いませんか。

たしかに、これは少し言い過ぎかもしれませんが、事実です。でも逆に、こう考えたらどうでしょうか。あなたがボクを食べるからこそ、百姓は田植えをし、ボクたち稲と一緒にオタマジャクシも育つことになります。ということは、「ごはん一杯を食べると、オタマジャクシ三五匹も田んぼで生きることができる」ことになりませんか。こう言うと、食べているあなたも悪い気はしないでしょう。

これが食べることのもう一面です。食べることが自然の生きものとつながっていることをこの写真ははっきりと示しているのです。この下敷きがベストセラーになった理由もわかるでしょう（この下敷きとクリアファイルは、二年前に販売枚数が二〇万枚を突破しました）。

●ごはんからの伝言

今度は、あなたに食べられようとしているごはんの声に耳を傾けてみましょう。

あなたはこれからボクを食べるけど、ボクの「いのち」だけをいただくわけではありません。なぜなら、ボクはボクだけで育ったわけではないからです。イナゴにかじられたり、ウンカに汁を吸われたりもしました。これらの害虫を食べてくれたクモやカエルやアメンボにお礼を言ったこともありました。トビムシやユスリカなどの「ただの虫」とも一緒に生きてきました。あの生きものたちもきっと、また来年あの田んぼで、ボクにまた会えると信じて、遠い食卓にのぼったボクのことを想っているに違いありません。

ボクは「必ず会えるからね」と、約束をして別れてきました。そのためにもボクはあなたに食べられなければなりません。そしてあなたはきっと、ボクたちをまたずーっと食べたいと思ってほしいのです。お百姓もきっと、またあなたに食べてもらうために、田植えするでしょう。「いただきます」というあなたの声は、ボクだけでなく、お百姓にも、田んぼの生きものにも届きます。

毎年お百姓が田植えをすることと、毎年あなたがボクを食べることは同じようなものです。現在では、「生産」と「消費」という言葉で切り離されてしまっていますが、これは田んぼのめぐみの中の「いのち」の別名なのです。百姓とあなたは、ボクを食べることでつながり、この天地自然の中で一緒に生きているという共感を抱くようになります。もちろん天地自然のもろもろの生きものたちともしっかりつながることができるようになります。

　ボクたちを食べることが楽しいのは、食卓が天地自然とつながる舞台となり、この上でボクたち生きものが喜んで踊っているからです。この踊りはあなたの生涯、休みなく続きます。さようなら。


　そう言って、ごはんはあなたの口の中に入っていきました。

　田畑の生きものたちと「また会える」ようにするためには、百姓の力だけでは無理なのです。食べる人がいないといけないのです。つまり農とは、生きものと百姓だけでは成り立たない世界なのです。あなたが食べることも「農」の欠かせない一部なのです。

　私は、食べもの（生きもの）を食べることは、その生きものと「また会おう」と約束することではないかと思っています。そしてその代わりに、食べもの（生きもの）の「いのち」をいただくことではないかと思うのです。

　誰もがこのように意識的に考えることはないかもしれません。それでも海外からわざわざ輸入しないでも国内でとれるのなら「国産のものを食べたい」「地元のものを食べたい」と思うのが自然ですし、その気持ちの底には、「また会える」「また会おう」という感覚が、私たちの中に無意識のうちにあるのではないでしょうか。

「毎年特定の国の米を輸入して食べるなら、その田んぼの生きものとも会えるんじゃないの」と反論する人もいるかもしれません。しかし、その国のその村の田んぼの生きものを私たちは知りようがありません。反対にその田んぼで生まれている百姓や生きものたちも、遠い国に住むあなたを思い浮かべることはとても難しいでしょう。

●「いただきます」は新しい習慣

みなさんは食事の前に「いただきます」と言っていますか。また食べ終わってから「ごちそうさま」と言っていますか。私は一九五〇年生まれですが、小さい頃は家庭の食卓で「いただきます」と言ったことはありませんでした。「ごちそうさん」だけでした。「いただきます」と言う作法を知ったのは、小学校一年生の学校給食の時でした。生まれてはじめて給食の時に「いただきます」と口に出したのです。その時の気持ちをよく覚えています。それまでそういう習慣がわが家になかったことを、とても恥ずかしく思いました。

でも、恥ずかしく思う必要は全くなかったことが、最近わかりました。

この作法は戦前の都会で、始められました。ある習慣が廃れてきたので、学校の道徳教育の中で考えられて始まったそうです（熊倉功夫『文化としてのマナー』岩波書店、一九九九年）。やがて、それが戦後の小学校の学校給食の作法として全国に広まり、家庭にも定着していったのです。

それでは、かつては多くの家庭では「いただきます」と言う代わりにどういう作法（習慣？）が行われていたのでしょうか。これから先は私の経験をもとに話します。

わが家では、食事の用意ができるとまず、神棚と仏壇に供えていました。家族が食べる前に、食べもの（とくにごはん）を器に盛り付け、神さまと仏さま（ご先祖さま）に、真っ先に食べてもらっていたのです。

どうしてそのようなことをしていたかと言いますと、食べものは天地自然のめぐみですから、真っ先に天地自然の名代である神さまと、田畑を拓いてくれたご先祖に、感謝の気持ちを「食べもの」を供えることで、伝えていたのです。わが家は農家でしたから、そうした行いをずっと、いままで続けています。

「いのち」がくり返し、くり返し引きつがれ、天地自然のめぐみが食べものとなり、今日にいたるまで、ずーっと私たち人間のもとに届けられてきたことへの感謝の気持ちの現れでした。

しかし、百姓が減っていき、都市への人口集中が起きると、この習慣が次第に消えてきました。都会では家庭の中に、神棚や仏壇もない家も増えてきました。そこで、食事の前に神仏に食べものを供える習慣に代わるものとして、「いただきます」と口に出す作法が考えられたというわけです。なお、「いただきます」と言う時に合唱するのは、昔から僧侶が食事の前に行っていた作法を取り入れたものです。

お客が来た時に、「どうぞ召し上がれ」とすすめ「はい、いただきます」と返答していたところから発想されたようです。一方「ごちそうさま」の方は、江戸時代には、もう使われていました。「馳走」とはおいしい料理のことですから、「おいしい料理でした」と、料理を出した人や料理をした人に対して告げる言葉です。

●誰に、何に向かって言っているのか

ところで、あなたは「いただきます」を、いったい誰に、何に向かって言っていますか。次の中から選んでください。

①料理をつくってくれた人に

②食材や料理の費用を稼いだ人に
③料理の材料である食べもの(生きもの)を手入れしたお百姓に
④食べものを育ててくれた天地自然に
⑤目の前の食べもの(生きもの)に
⑥とくに意識はしないで言っている

百姓ではない大人に尋ねると、①、②、③、④の順番で多く、⑤はあまりありません。たしかに①、②の料理にかかわった人や、③の「お百姓」は、すぐに想像できます。④の「天地自然」になると、その食べものが育った村の、その季節の環境を思い浮かべないといけなくなりますので、少し難しくなります。さらに⑤の「食べもの」自体には、目の前に伝える相手がいるのですから、簡単なようで、一番難しいかもしれません。いま食べようとしているごはんや野菜や肉は、生きものとしては死んでいます。それなのにどうやって感謝の気持ちを伝えればいいのでしょうか。「いや、伝わるかどうかではなく、自分の感謝の気持ちを表しているんだ」と考えている大人が多いのです。どうやら「いただきます」という習慣は、自己満足になってきたような気がします。

ところが農業体験をしたことのある子どもたちに、同じ質問をすると、⑤の「食べものそのものに言う」と答える子どもが少なくありません。「だって、その食べものが生きものだったことを想像できるから」と言うのです。

●食べものは、人と神さまをつなぐ

食べものは人間と神さまをつないでくれます、といったらみなさんはびっくりするでしょうか。私の村の神社の祭りの時の「直会(なおらい)」が、まさに人間と神さまをつないでくれるものなのです。

私の村だけでなく多くの地域で、お祭りの神事では必ず、神さまに米や酒、野菜や果物、魚や海藻などの食べものを供えます。昔はちゃんと料理したものでしたが、現在では生で供えます。じつは神事とは神さまに食べもの(神饌(しんせん))を食べてもらう儀式でもあるのです。さすがに神さまだと感心するのは、神さまが食べた後でも、供えた食べものは減ることなく、そのまま残っています。食べた歯形が残っているなんてことはありません。そこで神事の後に、神さまが食べたお下がりをみんなで食べるのです。これを「直会」と言います。お祭りの神事には、必ず「直会」がつきものです。まあ、酒も出されるので宴会だと思っている人も多

いでしょう。

現在では、さすがに生の神饌は食べられませんので、私たち村の氏子たちは、それぞれに重箱につめた弁当を持参して、食べます。この直会によって、神さまと人間が同じ食べものを食べるわけです。これは「神人共食」と呼ばれています。食べものの中の「いのち・魂」を、神さまとともに身にとり込むのです。このことによって、私は殺生を許されるような気がします。

◉現代社会における食べものとは――食材に変化した

少し戻って、食べものが生きものというよりも料理の材料である「食材」に見えてしまう原因を、もう少し深く考えてみましょう。まずニンジンをとりあげて、「食材」としての典型的な語り方を、栄養学の視点から見てみましょう。

「ニンジンには、β-カロテンという栄養素が多く含まれています。このβ-カロテンは体内に入るとビタミンAに変化し、皮膚や粘膜の健康維持に役立ちます。ニンジンの中の水溶性のビタミンであるビタミンB群やビタミンCは茹でることで水に流れ出てしまいますが、脂溶性のビタミンAやビタミンEは、油で炒めると吸収率が上がります」

人間のためには有用な情報ですね。ところが別の語り方もあります。なかなかニンジンを食べようとしなかった子どもに、お母さんがこう語りかけたそうです。

「このニンジンはね。アゲハチョウの幼虫さんも食べているのよ。あなたもお母さんもアゲハチョウさんも同じものを食べて生きているのよ」と。すると、子どもは食べるようになったそうです。どこまで子どもが理解したのかよくわかりませんが、このように語るお母さんの語り口と楽しげな表情が影響したのではないでしょうか。これは「食材」の説明と言うよりも、ニンジンという生きものの生を自分たちの生に重ねて語っていますよね。

現代社会はいつのまにか前者（食材）の説明が幅を利かせるようになりました。それは食べものが市場経済に乗せられるようになったからです。人間にとっての有用性（栄養、価格など）から価値づけするようになったからです。

この結果として、食べものは「食材」に変化してきました。食べものが価格で決められたり、栄養成分で判断されたり、そうした基準で「選択」される時の呼び名が「食材」なのです。それまでは、「そこにあるものを食べる」「とれたものを食べる」ことしかできませんでした。選択するという気持ちはない食べ方が主流だったのです。

●「旬」はどこに行ったのか

食べ物が「食材」に変化する中で、「旬」も失われてきました。「旬」の食べものとの出会いは、すなわち季節との出会いなのです。だからこそ、冬のレストランで出されたキュウリを食べても、私などは真夏の暑い日差しを思い浮かべるのです。しかし、実際には窓の外で冷たい北風が吹いていたり、雪が舞っていたりするのです。これには戸惑う人も多いのではないでしょうか。

ところがこのキュウリは暖房の利いたハウスの中で育ったので、真夏の太陽を知りません。スーパーの野菜売り場に行くと、いつが「旬」なのかわからなくなっています。冬でもトマトやキュウリやナスやスイカが並んでいるからです。

現在のこの国では、野菜や果物たちに「季節を告げる」役割を求めることは、つらい要求になっている気がしてなりません。「ほんとうにあなたたち人間は、冬にキュウリを求めているのですか」と、キュウリから尋ねられているような気がしてなりません。

●田んぼから見えてきた「いのち」のいま

ニホンウナギ（日本鰻）は漁獲量が激減し、二〇一三年二月から、環境省のレッドリストで絶滅危惧ⅠB類に指定されました。はるか南の海のマリアナ海溝から日本近海にやってくるウナギの稚魚のシラスウナギを養殖のために捕りすぎたのが原因です。わが家の田んぼの水源である加茂川でもウナギは捕れますが、このニュースを聞いて以降、私はウナギを食べないことにしました。しかし、このような状況になっているにもかかわらず、相変わらずスーパーでは売られていますし、生協の注文カタログにも載っています。それらを見ると、ため息が出ます。

ウナギだけではありません。かつては年間に二三万トンも食べていた鯨類も、寿司や刺身でよく食べられているクロマグロ(ホンマグロ)も二〇一四年に国際自然保護連合によって絶滅危惧種に指定されました(二〇二一年になって、やや回復しているとして、クロマグロは準絶滅危惧種にランクが下げられました)。「おいしいから」「好きだから」という食べる理由は、通用しなくなっています。

「絶滅危惧種」という考え方は、環境政策、環境思想の中でも知れ渡り、説得力のある指標です。少なくとも「絶滅危惧種に指定されている生きものは食べない」「絶滅危惧種を殺すような農業技術を使った農産物は食べない」というのは、これからの私たちのせめてもの責任の取り方でしょう。現代では、現地の住民を搾取(さくしゅ)して栽培しているバナナは食べない、強制労働で綿摘みされた綿から製造された服は買わない、というような生き方が広がっています。この考え方を生きものにも広げたいものです。

●田んぼの草の絶滅危惧種

じつは、田んぼの生きもので、もう会えない危機に陥っているのは、ウナギだけではありません。

田んぼとそのまわりの畦（あぜ）、水路・ため池でよく見かける草を「農と自然の研究所」で二二三種リストアップしてみました。このうち外来種は四八種（二一・五％）で、残りの一七五種（七八・五％）が日本在来の草、つまり植物でした。

この一七五種のうち、一都道府県以上で絶滅危惧種に指定されている草は、七三種にのぼり、全体の三三％になります（図4-1）。また「害草」や「害草になる可能性のある草」は、麦畑の草も含めて三七種（一六・六％）にすぎません。農業の効率を追求する農業技術が普及するにつれて、田んぼと周辺の草はすっかり減ってしまっているのです。

多くの都道府県で「絶滅危惧種」に指定されている主な草をいくつか紹介しましょう。（　）内の数字は指定している都道府県の数です（環境省生物多様性センター「都道府県絶滅危惧種検索ページ」二〇一〇年)。

キキョウ(桔梗)(四二)、ミズアオイ(水葵)(三六)、ミズマツバ(水松葉)(三三)、ミズニラ(水韮)(三五)、オオアカウキクサ(大赤浮草)(三五)、サンショウモ(山椒藻)(三七)、デンジソウ(田字草)(四五)、タコノアシ(蛸の足)(三八)、ミズオオバコ(水大葉子)(三〇)、ホシクサ(星草)(一九)、オミナエシ(女郎花)(一五)、ヒメミソハギ(一〇)、ウリカワ(瓜皮)(五)などです。

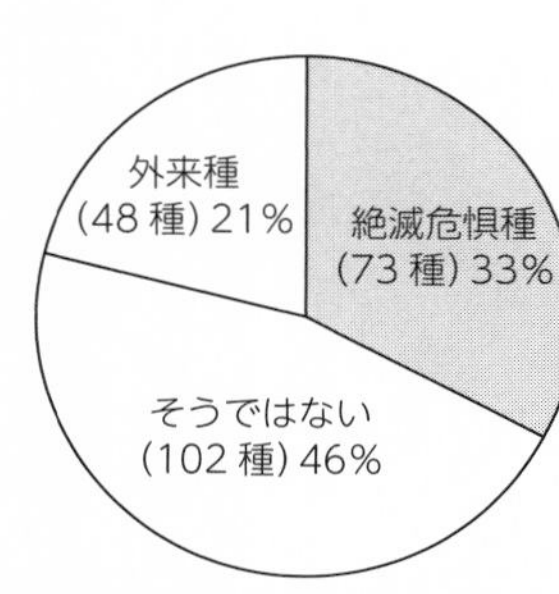

図4-1 田んぼの絶滅危惧種の割合(植物)

コラム 「雑草」と「ただの草」

「雑草」は「害虫」以上に、誤解されやすい言葉です。害虫とは「作物の稲を食べたり病気をうつしたりする虫」でした(1章)。「雑草」とは、野山に生える「野草」ではありません。かつては「田畑(畦も含む)や庭や道ばたに生える草で、作物や人間に害を及ぼす草」という定義が一般的でした。ところが、これだと田畑に生えても圧倒的に多い「害を及ぼさない草」は含まれなくなるので、今日では「田畑などの人間が手を入れるところに生える草」になっています。そして作物や人間に害を及ぼす雑草を「害草」と呼ぶようになっています。

害虫でも、害を及ぼす虫は少数だったように、田畑に生える草でも「害草」はわずかです。何を、どんな時に、どういう農法では「害草」と呼ぶか、簡単には決められません。やはり「害虫」と同じように「害」という人間からの見方を持ち込むと、草たちは戸惑うしかありません。

私は「害草」以外の雑草は「ただの草」と呼ぶように提案しています。そして「害草」が「ただの草」になるような農法を追求すべきだと考えています。

●田んぼの動物の絶滅危惧種

田んぼとそのまわりの畦、水路・ため池でよく見かける動物も、「農と自然の研究所」で二二八種リストアップしてみました。このうち外来種は一二種(五・三％)で、残りの二一六種(九四・七％)が日本在来の動物でした。

この二一六種のうち、一都道府県以上で絶滅危惧種に指定されている動物は、一三四種にのぼり、全体の五九%になります。草以上に動物は、農業の近代化によって、もう会えない状態に追いやられているのです(図4-2)。

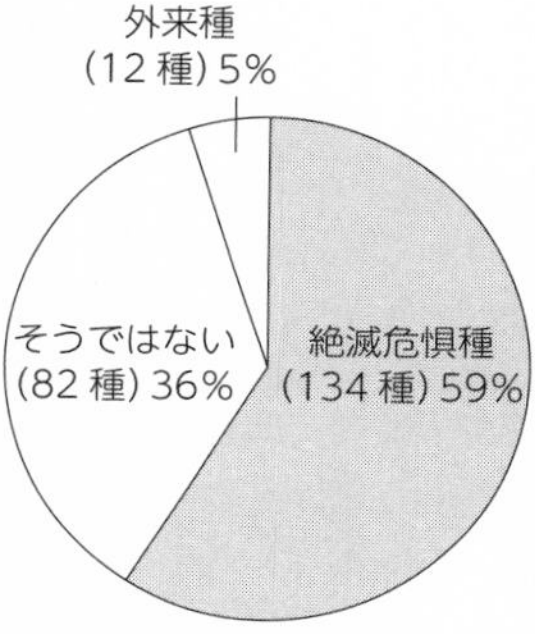

外来種
(12種) 5%
そうではない
(82種) 36%
絶滅危惧種
(134種) 59%

図4-2　田んぼの絶滅危惧種の割合(動物)

多くの都道府県で「絶滅危惧種」に指定されている主な動物をいくつか紹介しましょう。( )内の数字は指定している都道府県の数です(一三四頁に同じ)。

タガメ(四六)、ゲンゴロウ(四四)、メダカ(目高)(四〇)、チュウサギ(中鷺)(三九)、コオイムシ(子負虫)(三一)、アカハライモリ(三一)、イシガメ(石亀)(三四)、トノサマガエル(二八)、カスミサンショウウオ(霞山椒魚)(二三)、マルタニシ(丸田螺)(二二)、カヤネズミ(茅鼠)(二七)、カトリヤンマ(蚊捕蜻蜓)(一九)、チョウトンボ(蝶蜻蛉)(一三)、ミズカマキリ(水鎌切)(一三)、ヘイケボタル(平家蛍)(一四)、マガン(真雁)(二九)などです。

田んぼのことは「農と自然の研究所」などの研究で比較的よくわかっている方ですが、現代の農業では、残念ながら「いのち」の引きつぎがとても困難になっています。それに何よりも、百姓自身にこのことに対する危機感と責任感が希薄です。「そういうことにかまってはおれないんだ」という百姓の言い分もよくわかります。たしかに「生きものを大切にする農業で栽培してください」と言ってくれる消費者が少ないのも事実です。国民あげて、この事態に加担していると言っては言い過ぎでしょうか。

●百姓の責任

ここまでのところで百姓にはとても厳しい責任（宿命と言ってもいいでしょう）が生じていることがわかりますか。これほどまでに、天地自然のめぐみを、天地自然に対価を払うことなく、無償で受け取ってきたのが百姓なのですから、お礼にやるべきこと（責任・宿命）が出てきます。その責任は、今年田畑で会ったすべての生きものと、来年もまた会えるようにすることで果たすことができます。

個人的には一種たりとも絶滅させてはいけないと思っていますが、そもそも、それは天地自然のもろもろの生きものからの頼みなのかもしれません。

この責任を、百姓が必ずしも意識的ではないにしろ、これまでは果たしてきたからこそ、農業を続けることができたのです。田畑の生きものも生き続けてこられたのです。私が農薬

(殺虫剤や除草剤や殺菌剤など)を使わないのは、この責任を果たすための一環です。手で虫を殺したり、手で草を抜いたり、手で病気の葉を取り除いたりする分には、また虫や草や微生物は現れてくれます。絶滅することはありません。

しかし、百姓だけでは、守りきれません。やはり食べものを食べる人にも同じ責任があるのではないかと思います。多くの食べものを食べる人たちは、悩むことなしに、日々、食べているのではないでしょうか。たくさんの生きものを殺して食べているということを忘れていないでしょうか。食べものを食べる人も、その食べもの(生きもの)とまた会えるようにすることの一端を担ってほしいと思います。

では、どのような形で担えばいいのでしょうか。いのちをつなぐことを百姓に要請し、その百姓が育てた食べものを責任を持って食べる、ということです。そんな人が多くなってほしいと私は願っています。

かつては無意識にこうした責任を、百姓と食べる人たちはともに果たしていたのです。それが食事、つまり食べるという行為の奥深いところにありました。しかし現在は、そうした共通の意識がなくなって、いのちに対する責任を果たせなくなっているのです。

◉すべてのいのちをつなぐのが農

「農業とは、国民の食料を生産する産業である」という言い方は、常識になっています。私は「農業とはそんなものではない」といつも思っているので、すぐに反論します。「どうして、農業ではなく農を語らないのですか。生産結果の価値だけを強調するのは、工業の語り方を真似しているだけでしょう。これでは百姓ならではの語りが衰えていきますよ」と。

くり返しになりますが、農とは生きものを殺してしまう仕事です。それは食べる人のすべてが、食べものである生きものを殺さざるをえないことと、しっかりつながっています。農はこのことを克服するために、食べる人と力を合わせることが必要です。

農のこの「宿命」を乗り越えていくためには、「食料生産」の語り方が、考え方が、食料の内部にとどまっていてはいけないのです。外に飛び出して、天地自然につながらなければならないでしょう。なぜなら、そこでしか「いのち」は語れないからです。食べものの中の「いのち」は、作物や家畜の「いのち」につながり、天地自然の多くの生きものたちの「いのち」とつながっているところで、「農業」の定義を考えてみなければなりません。

私が「農と自然の研究所」を設立し、田んぼの生きもの調査の方法を開発し、データを集めて、仲間とともに「田んぼの生きもの全種リスト」をつくりあげてきたのは、食べものだけでなく、農の生きものにまなざしを注ぐ習慣を取り戻したかったからです。

農の中から、こうした生きものとのつながりを追放したら、何が残るでしょうか。現代社会では、生産の効率を上げることがあまりに重視されて、仕事の喜びや楽しさが犠牲にされています。報酬よりも、仕事を楽しくすることが大切にされないと、人生の目的は「仕事」ではなくなり、所得を増やすことになってしまいます。

写真4-2 わが家の田んぼで「生きもの調査」をする子どもたち

現在、「田んぼの生きもの全種リスト」は、滋賀県立琵琶湖博物館に引きつがれ、ホームページで公開されています(https://www.biwahaku.jp/study/tambo/)。生きものの種数も増えて全部で六三〇〇種余りになっています。また、こちらには、生きものの和名も記されています。

◉同じいのちとは

私は、これまで百姓や子どもたちに「田んぼの生きもの調査」を教えるために、いろいろなところに出かけてきました。「生きもの調査」が終わった後は、必ずみんなで捕まえた生きものをまた田んぼに戻します。その時に、生きものたちに一言声をかけようと呼びかけています。その一言とは「また会おうね」です。

この言葉は、百姓や子どもたちには、「また田んぼに会いに来なければならない」という約束です。一方、生きものたちとも「あなたも、この田んぼでまた生まれて育ってほしい。あるいはこの田んぼにまたやってきてほしい」という約束を交わすことです。お互いにこの約束を胸に「また会う」日を迎えるのです。

5章

農は過去と未来、そしていのちをつなぐ

春の畦の様子．紫色のアザミと黄色のウマノアシガタの花が咲きます

◉未来のために「いのち」の場を残していく

福島第一原発の事故(二〇一一年)で、南相馬市では市内全域で稲作ができなくなりました。ところが一人の百姓が、田んぼの上をツバメが飛んでいるのを見て、「田んぼに泥がなけりゃ、巣をつくることが難しいのではないかな」と思い、家のまわりの田んぼに水を張り、代掻きだけはしたそうです。

すると、その日の夜になると、カエルの鳴き声も聞こえたと言います。ツバメも田んぼの土で、巣をつくることができました。他の村でも、収穫は禁止された田んぼで、生きもののために田植えした百姓もいました。

なぜ百姓はここまでやるのでしょうか。このツバメやカエルのために代掻きと田植えをする、というのは百姓の生き方(天地自然に生かされてきた経験から言うなら生かされ方)なのです。田んぼで生きてきた生きもの同士の情愛が優先するのです。これは「農業」ではなく「農」そのものです。

これは、私が以前に詠んだ駄句と重なります。

百姓に　田を植えさせる　赤とんぼ

百姓は赤トンボを産卵させ、羽化させるために田植えをしているわけではありません。しかし、自分の田植えという仕事が赤トンボの生にとって不可欠だと気づくと、まるで赤トンボが自分に田植えを要請し、自分もそれに応えているような関係になっていると感じます。こういう気持ちが、自然と人間の世界(天地有情の共同体)を無意識に支えてきたのです。「いのち」のつながりとはこういうことを言うのではないでしょうか。

私は三九歳の時に、今の村に家族で引っ越してきて、百姓を始めました。生きものたちはそこで新しくやってくる百姓を待っていてくれたのです。私たち家族は、借りた田んぼに住む生きものも引きつぎました。

この田んぼの生きものたちを引きついでみてわかったのは、生きものたちは百姓を差別しない、ということです。ところが、しばらくして百姓の方が生きものを差別していることに気がつきました。

たとえば、日本では米が余って、田んぼの四〇%は稲が作付けできません。百姓も消費者も平気で稲を差別しているようなものです。「もう、きみたちはいらないよ」と平気で口にします。減反で、荒れ果てた田んぼでは、それまでいた生きものたちは住めなくなっています。またコストを減らすために、とうとう田んぼの畦にまで除草剤がまかれて、草は立ち枯れしています。畦草もいじめられているのです。私にはそういうことはできません。

たしかに現代社会はカネになる価値が優先されます。そうかもしれません。ですから、「あなたみたいな生き方では、食べていけない」とよく言われます。そうかもしれませんが、生きものたちは、「それじゃ、私たちはもっと生きていけないよ」と反論するでしょう。これまで、何百年も、ひょっとすると二〇〇〇年以上も、百姓と一緒に生きてきたのに「なぜこの三〇年間だけ、生きにくくなったの。まさか、私たちのせい?」と言われたら、答えに窮します。

●ヨーロッパの「環境支払い」

そんな日本の状況を変えていくのに、参考になる事例があります。

ヨーロッパでは有機農業や、風景と自然環境を意識的に守る農業が盛んに行われています(ドイツの有機農業の面積は二〇一八年では九・一%で、日本は〇・五%です)。その理由は、私がドイツに調査に行った時の体験を語れば、よくわかってもらえると思います。

私たちはある村の百姓から驚くようなことを聞いたのです。その百姓はリンゴを栽培していましたが、貿易の自由化でリンゴも値下がりしていました。そこでその村では自分たちでリンゴジュースの工場をつくって、独自のブランドで売り出したら、飛ぶように売れているそうです。「その理由は何だと思うか」と、私たちは質問されたのです。そのリンゴジュースをごちそうになりながら、私たちは真剣に考え、答えました。

「おいしいからでしょう」違う。

「無農薬栽培だから安全性が売りなのでしょう」違う。

「安いからでしょう」とんでもない。他のリンゴジュースよりも三〇%以上も高いんだ。

「栄養がたっぷりだから」「香りと色がいいから」「パッケージがいいから」……。すべて「違う」と言うのです。ほんとうの答えは何だったと思いますか。

「町の人たちは、このリンゴジュースを飲まないと、この村の美しい風景が荒れてしまう、と言って買っていくんだ」という回答でした。すぐには信じられませんでした。

私たちはいつの間にか農産物の価値をカネになるかどうかでとらえるようになってしまっています。リンゴ園の風景の美しさを知らないわけではありませんが、それはリンゴの価値とは別のもので、カネにならない「自然の風景」だと思い込んでいます。

もちろんドイツでもこういう食べもの（農産物）のとらえ方は、一九八〇年代から生まれてきた新しい考え方です。カネになる価値だけで農業をとらえていると、貿易の自由化で安い農産物がどんどん入ってきて、百姓が潰れるだけではなく、市民にとっても大切な自然や風景までも破壊されていくという危機感が強くなったからです。カネ儲けを第一に考えて農産物を市場でやりとりすることは、私たちが生きている社会の土台である天地自然を知らないうちに壊してしまいます。農業が、経済効率を優先して暴走しないようにする新しい知恵をドイツの人たちは生み出したのです。

「農」は、市場では評価できないもの、つまり市場価値（経済価値）がないので「取引できないもの＝めぐみ」を生み出しています。このことの大切さにドイツの人たちは気づいただけでなく、それを評価する新しい行動を始めたところがすごいと思いました。「農」は他の産業とは決定的に異なる本質・原理を持っているからこそ、このように人を動かすのです。

こうしたドイツの人たちの意識変化を土台にして、農業を守るために税金から「環境支払い」が始まったのです。ＥＵでは国によって差がありますが、百姓の所得の六〇～八〇％ほどは、「環境支払い」を主とした政府からの公的な支援金なのです。

●「環境支払い」という知恵

食べものは自然からのめぐみそのものです。百姓仕事はそれを毎年変わらずに豊かに引きだしてくる仕事です。だからこそ、食べものは自然と切り離せません。その自然の表情である風景とも切り離せません。農を守るということは、自然を守り、風景を守るということです。こうした農の持つ広がりが日本では、まだまだ人々の共通認識になっていません。したがって、つい安いものを選んでしまう人が多いのは当然でしょう。得になるかどうかで選択するならそれは無理もありません。

では、最初から農産物の価値に、自然の価値を付け加えて売るのはどうでしょう。それも一つの方法ではないでしょうか。

百姓や農協や生協の中には、熱心に「生きもの調査」に取り組んでいる人たちが増えてきています。それは、農産物が育った自然を守り、その風景を食卓でも語りたいからでしょう。しかし、価格の安さを競う日本の米売り場で、米の価格に自然を支える費用を上乗せできるでしょうか。どうしたって、米の値段は高くなります。

絶対にできないとは思いませんが、そう簡単ではないことも事実です。また、こうした考え方・方式を定着させるには、時間もかかるでしょう。ネックになる事柄は、二つあります。

一つは、経済価値のない風景や自然環境、田畑や里山の生きものたちに新たな価値を見いだす力や発想力が、まだまだ育っていないことです。

もう一つは、その価値を理解できたとしても、そのために百姓へ自然を支える費用としてカネを支払うこと、それが百姓の「所得」になることを納得できるかということ、つまり国全体の合意が得られるかどうかでしょう。

しかし将来においては日本でも、EUのように、「農」は市場経済に乗せる「農業」部分と、市場経済から分離して「環境支払い」で支える「農業」以外の「農」部分に分けるのが理想でしょう。そうしてEUのように、百姓は所得の半分以上を国民からの支援金から得るようなしくみにしないと、風景も自然も守ることができないと私は思っています。

●野の花への環境支払い

ドイツで体験しためざましい知恵を紹介しましょう。牧草地の野の花二八種のきれいな写真入りのパンフレットが百姓に配られていました(写真5-1)。しかもこの花の調べ方まで説明してありました。このうちの四種類以上の花が咲いていれば、野の花が咲く風景への支援金が申請できるというのです。ありふれた草や滅多に見られない花は除かれていました。この政策メニューを考案した人たちの話を聞きましたが、野の花の選定は実によくできていま

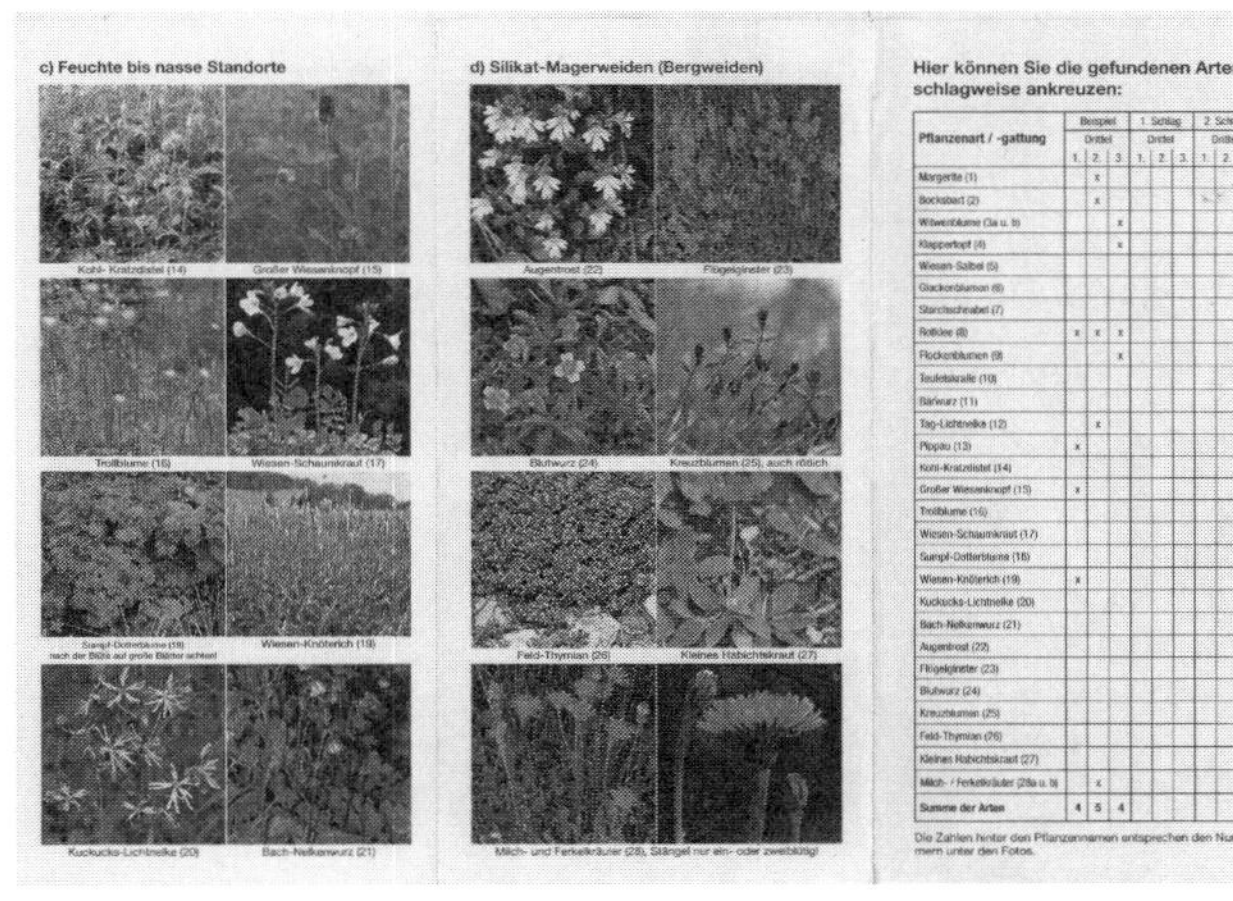

c) Feuchte bis nasse Standorte

Kohl- Kratzdistel (14)
Großer Wiesenknopf (15)
Trollblume (16)
Wiesen-Schaumkraut (17)
Sumpf-Dotterblume (18) nach der Blüte auf große Blätter achten!
Wiesen-Knöterich (19)
Kuckucks-Lichtnelke (20)
Bach-Nelkenwurz (21)

d) Silikat-Magerweiden (Bergweiden)

Augentrost (22)
Flügelginster (23)
Blutwurz (24)
Kreuzblumen (25), auch rötlich
Feld-Thymian (26)
Kleines Habichtskraut (27)
Milch- und Ferkelkräuter (28), Stängel nur ein- oder zweiblütig!

Hier können Sie die gefundenen Arten schlagweise ankreuzen:

Pflanzenart / -gattung	Beispiel			1. Schlag			2. Schlag		
	Drittel			Drittel			Drittel		
	1.	2.	3.	1.	2.	3.	1.	2.	3.
Margerite (1)		x							
Bocksbart (2)		x							
Witwenblume (3a u. b)			x						
Klappertopf (4)			x						
Wiesen-Salbei (5)									
Glockenblumen (6)									
Storchschnabel (7)									
Rotklee (8)	x	x	x						
Flockenblumen (9)			x						
Teufelskralle (10)									
Bärwurz (11)									
Tag-Lichtnelke (12)		x							
Pippau (13)	x								
Kohl-Kratzdistel (14)									
Großer Wiesenknopf (15)	x								
Trollblume (16)									
Wiesen-Schaumkraut (17)									
Sumpf-Dotterblume (18)									
Wiesen-Knöterich (19)	x								
Kuckucks-Lichtnelke (20)									
Bach-Nelkenwurz (21)									
Augentrost (22)									
Flügelginster (23)									
Blutwurz (24)									
Kreuzblumen (25)									
Feld-Thymian (26)									
Kleines Habichtskraut (27)									
Milch- / Ferkelkräuter (28a u. b)		x							
Summe der Arten	4	5	4						

Die Zahlen hinter den Pflanzennamen entsprechen den Nummern unter den Fotos.

写真 5-1　ドイツのバーデン＝ヴュルテンベルク州の野の花への環境支払いのパンフレット

した。

私たちも実際にこのパンフレットを手にして調査をさせてもらったのです。すると、一年に二、三回草刈りしている草地では、私たち外国人にも簡単に四種以上の花を見つけることができましたが、全く草刈りしていない草地では、一種しか見つかりませんでした。その村の百姓は、三回以上草刈りすると四種以上は見つかりにくいと言っていました。ということは、野の花が咲き乱れるには、適度な草刈りが必要なのです。これは日本にも当てはめることができます。

田んぼの畦草を思い浮かべるとよくわかります。草刈りしないと、セイタカアワダチソウ(背高泡立草)やススキ(薄)などの強い草だけがはびこって、背丈が低く弱い草は死んでいきます。ところが時々草刈りすると、丈の高い草がダメージを受け、反対に低い草にはよく光が当たるようになり、どちらも育つことができるようになります。私は五月から一〇月まで、ほぼ毎月一回合計六回も畦草刈りをします。だからこそ、毎年二〇〇種類ほどの草が一緒に育つのです。

ドイツの草地は野生の草地です。雨が少ないので、日本の畦のように毎月刈らないといけないぐらいに草は伸びませんが、刈らないと多様性は失われ、また刈りすぎても強い草ばかりが生き延びるので、草の種類は減ってしまうのです。

野の花は自然にそこに咲いていると勘違いしている人が多いようですが、そんなことはありません。毎年同じ花がそこで咲き続けることは、ほんとうは「不自然」なことなのです。百姓の手が毎年毎年変わらずに加えられるから、野の花もそれに応じて、変化しないで咲き続けるのです（生態学ではこれを「遷移が止まっている」と言います。自然が安定してくり返しているという意味です）。

ドイツで行われている「環境支払い」ですが、日本で実行する場合、二つのやり方が考えられます。一つは、私のように畦草刈りを年四回以上している百姓へは、政策として「環境支払い」を行うようにすることです。

もう一つは、ドイツの取り組みと同じように畦の草花を調査して、決められた草が見つかれば、畦の生物多様性が豊かな証拠だとして「環境支払い」を税金で行うやり方です。後者の方がより深い政策だと言えるでしょう。残念ながら、日本ではどちらも実施されていません。

私は、あらためてドイツの取り組みや、さらにパンフレットにある二八種の草花の選び方に感心しました。これは百姓仕事によって自然が支えられていることを示しているすごい「指標」だと思いました。こういう着眼が私には、それまでほとんどなかったのです。自然を守ることには誰でも賛成しますが、どういう百姓仕事によって、何が守られているかを調査して評価しなかったから、つまり、誰もがわかる形にしなかったから、自然を守る農業政策が日本では育たなかったのです。

以来私は、NPO法人「農と自然の研究所」を四〇歳代の終わりに仲間と設立して、その代表として、「生きもの調査」の普及だけでなく、生きものたちを「指標」にすることを追究してきました。農の見方を「食料生産業」ではなく、生きものの「いのち」を「めぐみ」としてとらえ、めぐみ業にするために百姓仕事のかたわら、その活動に励んできたのです（指標の活用例は、写真4-1、図4-1、図4-2などです）。

●「農」と「農業」の違い

ここで「農」と「農業」の違いをきちんと説明しておきましょう。頭の中でイメージを描いてみてください。「農」が土台となって、「農業」が上に乗っかかっているというイメージならわかりやすいでしょうか（図5-1）。「農」という大地に、「農業」という樹が生えているイメージの方がいいでしょうか。「農業」は「農」から生まれた「産業部分」です。当然、経済的な価値を追求するものです。一方の「農」は「非産業部分」で、カネにならない世界がほとんどです。大事なことは「農業」は「農」に「根」を張っているということです。したがって「農業」は「農」なしには成り立ちません。

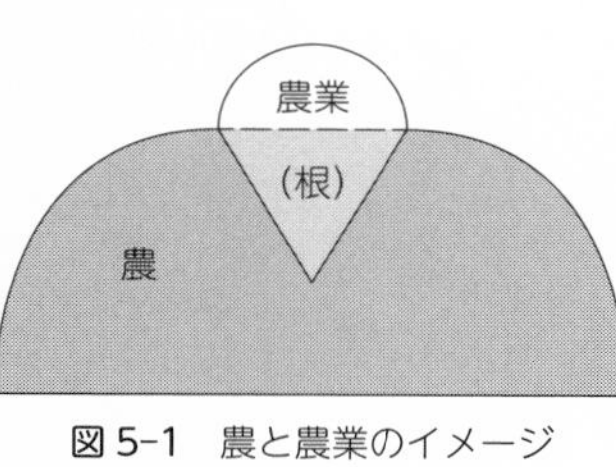

図5-1　農と農業のイメージ

ところが資本主義経済が発達してくると、この「根」の部分が見えにくくなり、「農業」は「農業」だけで成り立っていると錯覚しがちです。なぜなら「農業」は近代化することができ、経済価値で表現できますが、「農」は近代化しにくい世界で、経済では評価しにくいからです。皮肉なことに「農業」は壊れても、「農」があるなら再生できます。「農業」は時代とともに変わっていきますが、農はなかなか変わらないものだからです。

「農業」には、農産物を通して触れることになりますが、「農」には直接触れることができます。たとえば公園や校庭や河原で飛んでいる赤トンボのほとんどは田んぼで生まれたもの、つまり「農」です。「農業」である稲は「農」である赤トンボと一緒に育っているのです。ところが、いつのまにか「農業」が独立してしまって、「農」に根ざしていることが忘れ去られてきました。

●「産業」から「めぐみ業」へ——多面的機能をもつ「農」

農の中でも、よく目にする現象や働きをかつては「公益的機能」と呼んでいました。公益つまり私たちみんなの価値だという意味です。ところが「公益」と言ってしまうと「その公益部分を百姓に支払ってほしい」という要求が出てくるので、「多面的機能」と言い換えています。何かずるい印象です。

現在では「農には他の産業にはない多面的機能がある」という言い方をするようになりました。やっと「農業」ではなく「農」に視点があたってきたのです。これはとてもいいことです。しかし、どうして「農は、経済価値（市場価値）がないものも、いっぱい生産していますす」と言わないのでしょうか。まだまだ「生産」という考え方を、「農業」から「農」へと広げることに躊躇（ちゅうちょ）しているのです。

若い百姓たちと議論をしたことがありました。彼らの一人が「田んぼには多面的機能の一つとして「洪水防止機能」がある」と発言したので、私はわざと意地悪な質問をしてみました。

「でも、洪水になりそうな大雨の時は、できるだけ川から増水した水が入らないように水口を閉じ、田んぼの水はできるだけ早く外に出て行くように、水の出口を全開にするだろう。つまり田んぼにできるだけ水がたまらないようにしているのに、たっぷり水をためていると自慢できるかな」

と。すると彼はこう反論してきました。

「うーん、それでも大雨の時は、水がはけきれないで、田んぼの畦を越すぐらいに雨がたまりますからね」

と。そこで私は、

「ということは、百姓の思いとは逆の結果が生じて、その結果、洪水を防ぐことができると認めるんだね」彼は不満そうに「それではいけないのですか」と言いました。

そこで私はアドバイスをしました。

「田んぼに大雨の水がたまるのは、自然にたまっているわけではない。百姓が、田んぼにそういう機能を発揮させるような仕事をしているからじゃないのか」

「あっ、そうか。私が畦を歩くから、畦は締まって崩れにくくなり、私が畦草刈りをするから、畦にはいろいろな草が根を張って崩れにくくなり、私が田まわりをして、畦に穴が開いているのを見つけたら塞いでいるから、大雨の時に水をしっかり、満杯までためられるんだよね」

「その通り」

「しかし、これらの仕事は洪水防止を目的にして、それを意識してやっているわけではありませんね。やはり、自慢しにくいな」

それでは、多面的機能ではなく、百姓仕事がかかわっている天地自然の「めぐみ」だと言い換えればいいのです。そうすれば、「めぐみ」をもたらしてくれている主人公が天地自然だと意識できるし、その手助け(手入れ)をしているのが百姓だと自覚できるし、何よりも天地自然になり代わって、このめぐみを自慢できるのです。

ここが大事なところです。農はもちろんのこと「農業」も、工業と違って、人間が目的としていないものまで、天地自然が生産してしまうのです。そのために、生産効率が落ちることも少なくありません。「オタマジャクシの脚がまだ生えていないから、水がたまっているかどうか、ちゃんと今日も田まわりしておこう」と無意識のうちに田んぼに足が向いてしまうのです。その分時間がとられます(生産コストがかさみます)。

つまり多面的機能は、百姓仕事によって生み出されている(生産されている)のですが、これまでの農業観では、「偶然に、自然にそうなってしまうもの」と解釈されがちでした。農業を産業ではなく「めぐみ業」にするためには、農業の見方をこれからは、転換していかなければならないのです。

最近の、アメリカ・カリフォルニア州の百姓は「なぜ田んぼだけが、優先的に貴重な水を使うのか」という州民の疑問に対して、「田んぼは水辺空間として、いろいろな生きものを育てているし、風景としてもいい眺めでしょう」と本気で説得しているそうです。貴重な水を、米を生産して所得を得るための産業である「農業」が独占的に利用することは許されなくなっているのです。住民を納得させるためには、経済価値のない自然環境への「農」の貢献を説明しなくてはならなくなってきています。このように「農業」から「農」への見方の転換は世界各地で始まっています。

●あえて経済価値を計算してみる

それでは、田んぼのめぐみ(多面的機能)にはどういうものがあるのかを見ていきましょう。

田んぼでとれる米には、経済価値があります。しかしそれ以外の多くの農のめぐみ(多面的機能)には、経済価値(市場価値)がありません。そこで、これらの「めぐみ(機能)」をあえて経済価値があるものとして、貨幣に換算してみました。【　】の中は、日本学術会議や農林水産省(以下、農水省)が公表している算定式を使って、私が地元の糸島市の田んぼで計算した一〇aあたりの評価額です(※印は、「農と自然の研究所」の算定式を使いました)。

①働く場・生きる場がいつもそこにある。【計算できない】

田んぼとまわりの自然は、毎日、そして一生、生きるところであり、職場でもあります。それが家のまわりに、村の中に広がっていることは、とても便利で、ありがたいことです。

②四季折々の風景が毎年現れ、いのちのつながりを感じる。【約三万円】

季節は生きものたちが育つ姿として風景に現れます。生きものたちの「いのち」が、毎年変わらずにくり返されることは、大きな安堵をもたらします。

③農産物としての「米」がとれる。【約一二万円】

最近では米の値段も下がり、評価額は下がっているのが残念です。もっとも、「米」だけでなく、「籾殻（もみがら）」「藁（わら）」「糠（ぬか）」も入れると、さらに「生産物」は多くなるでしょう。

④生きものが育つ。【※約一二万円】

農と自然の研究所と琵琶湖博物館の研究では、田んぼや畦や水路やため池では、六三〇五種の生きものが育っています。このうち代表的な三〇〇種についてのみ、評価をしています。

⑤穏やかな気象が現れる。【約三〇〇〇円】

とくに夏は田んぼとその周囲はとても涼しくなり、畑に比べると、気温が二・五℃も低くなっています。

⑥洪水が防がれる。【約九万円】

田んぼは畦で囲まれているので、降った雨は田んぼに一〇～二〇㎝はたまり、田んぼはまるでダムのような働きをします。

⑦川の流れが安定する。【約三万円】

川から田んぼに注がれた水は、その多くがまた川に戻っていきます。その分、川の流れが長くなったようなものですから、川の水の流れは豊かになります。

⑧地下水が増える。【約一万円】

田んぼのある村では、田植えが終わると井戸水が一挙に増えます。

⑨水がきれいになる。【約一万円】

田んぼに入っていった水の中の養分は、稲に吸われ、生きものに食べられ、また土にくっついて、水はきれいになります。ただし、代掻きの時には、栄養分が流れ出ます。

⑩空気がきれいになる。【約七〇〇〇円】

田んぼの稲や草は、二酸化炭素と一緒に汚染された空気も吸って、浄化します。その量は森林に匹敵するぐらいです。しかし田んぼから発生するメタンガスは温暖化に影響しています。

⑪土砂崩れが防がれる。土が流れない。【約二〇〇〇円】

斜面を田んぼにすると、平らになり、土砂崩れしにくくなり、また土も流れ出しません。

⑫遊びや体験学習の場になる。【計算できない】

百姓仕事の体験だけでなく、子どもたちが遊んだり、住民が畦道を散歩したりすることも、直接、間接に農業体験・自然体験です。

⑬祭りや行事を生み出す。【計算できない】

田んぼで「もぐら打ち」や「虫追い」などの行事を行い、豊作を願い、収穫に感謝する村

写真 5-2　稲刈りと掛け干しが終わった田んぼには，落ち穂がそこここにありました

祭りを誕生させせました。村に「神さま」がやってくるようになったのです。

⑭ 知恵や技能が伝わる。【計算できない】

百姓仕事の知恵だけでなく、田んぼや畦、水路やため池などの生きものとのつきあいの知恵が伝わってきましたし、これからも伝わります。

これらを合計すると、一〇aあたり③米の売り上げが約一二万円なのに対して、それ以外のめぐみは計算できるものだけでも約三〇万円になります。もちろんこれらの代価は、どこからも支払われることなく、百姓は無償で提供し続けています。私は、これではいけないと思います。それではどうしたらいいのでしょうか。

一つ付け加えますと、私は農水省の「多面的機能支払交付金」を受領する村の事務局長をしていましたが、一〇aあたり五〇〇〇円を使って、荒れ地の草刈りと土木工事を行うので精一杯です。EUに比べると予算額が一桁以上も違います。紹介するに値しません。中山間地域等直接支払いも同様です。農水省の委員をしていた時にもずいぶんと提案しましたが、採用されませんでした。

●「めぐみ」という発想を引きつぐ

そのヒントは八〇年ほど前の村にありました。隣村の年寄り夫婦から耳を疑うようなことを聞いたことがあります。

「うちの村では、落ち穂拾いは百姓はしてはならなかった」

「えっ、誰がしていたんですか」

「袋を持って畦で待っている人たちがいて、稲刈りと掛け干しが終わって、百姓が引き揚げると、田んぼに入ってきて、熱心に拾っていた」

私は心底驚きました。有名なフランスのミレーの絵「落ち穂拾い」では、百姓でない貧しい人が麦の落ち穂を拾ってくださっていたことは知っていましたが、日本でも戦前までは普通に行われていたことを知りませんでした(写真5-2)。それまでは、その田んぼの持ち主の百姓が拾っていたものと思っていたのです。

聖書に「落ち穂拾い」の話が出てくるので、てっきり西洋だけの話かと思っていました。しかし実際は洋の東西を問わず、落ち穂は百姓以外の人のために残されていたのです。このことをどう考えたらいいのでしょうか。

稲は、百姓が植えているのに、百姓のためだけに育ってはいないのです。江戸時代の農書である『耕作仕様考』（日本農書全集第三九巻・越中富山）には、「百姓がしっかり農に励むなら、寡婦（未亡人）でも落ち穂を拾って暮らせるような世になる」と書かれています。落ち穂拾いは文献上は平安時代までさかのぼることができます。『伊勢物語』にも、落ち穂を貧しい人たちが拾う歌が出ています。つまり「めぐみ」を百姓が独占するのではなく、社会の底辺で生きざるをえない人たちに残して、理想的な世の中をつくろうとしていた百姓も少なくなかったのです。

それはなぜでしょうか。農産物を生産しているのは百姓だけではなく、天地自然が主となって生産しているからです。農産物は百姓が「つくる」のではなく、「できる」「とれる」もので、さらにいえば、この「めぐみ」は人間以外の生きものにも届けられているのです。

これも江戸時代の農書（『田家すきはひ袋』同第三七巻）の中の歌を紹介しましょう。

「刈小田の　稲の落穂をひろはしと　友よびかはし　おつる雁がね」

落ち穂は、ガン（雁）のためにも残したのです。現在でも日本にやってくるハクチョウ（白鳥）やガンやツル（鶴）たちは、田んぼの落ち穂やひこばえの穂（二番穂）を食べて、厳しい冬を越し、春になるとシベリアに帰っていきます。

百姓は自分の（人間の）努力以上に、稲が天地自然の力を得て育ち、農の「めぐみ」となってもたらされることをよく知っています。米や生きものたちは、百姓のものでもあり、同時にみんなのものだという感覚は近代の「産業」にはありません。むしろ農の「めぐみ」をみんなの「公共財」として、みんなで共有して分かちあう新たな社会システムを構想したいものです。

つまり非産業部分の「農」をみんなのものとして開放し、百姓仕事を「公共事業」のようなものとして、そして百姓を多面的機能を支える「公務員」のような存在として、みんなで認知するのです。もちろん百姓には「農のめぐみ＝多面的機能」をどのようにして支えているのか、その結果はどうなっているかを説明する義務が生じます。たとえば、田んぼでは生きものの種類と数をちゃんと調べなければなりませんし、それも大切な百姓仕事になります。そのことで、「農の語り方」は大きく変化し、現在よりもはるかに豊かになると私は考えて

写真 5-3　田んぼで草とりをする私．草のいのちに深く触れる仕事です

います。

●草とりは楽しい

隣の婆ちゃんが初夏になると、いつも私に「草がよう伸びる季節になったねぇ」と声をかけてきます。かつての私は「そうやね。草とりが大変じゃもんね」と応じていたのです。すると婆ちゃんは「何が大変なもんか。草とりも楽しみ」と返答したのです。えっ？と思いました。婆ちゃんは、今年も草にまた会える、今年もまた草とりができる、今年もまた草と話ができる、と感じていたのです。草の「いのち」に触れることができることを喜んでいるのです。この繰り返しがなければ、婆ちゃんの百姓としての八〇年の人生はありえなかったのです。そして私

の三〇年も。

年寄りの百姓と話していると、「百姓仕事で一番楽しかとは、草とりたい」と、こそっと教えてくれます。「年とってくると、よくわかると」と付け加えます。畑に行くのは、草とり仕事の相手である草が待っているからです。その草と会話しながら草とりに没頭することができるのが楽しみなのです。

草とりは、たしかに単純作業です。だからいいのです。身体が自然に動きます。しかも、相手の草の「いのち」に深く触れることができます（写真5-3）。なぜなら草に直接手を下していのちを奪っているからです。でもその一方で「来年になれば、また会える」とわかっています。だから、今年もしっかりとるのです。

●人間は昔、草だった

言葉は、私たちの先祖の感覚を残しています。『古事記』では人間をかつては「青人草（あおひとぐさ）」と呼び、草だったと言い切っています。決して「青草人（あおくさびと）」（青い草のような人）ではなく、「青人草」（青い人のような草）なのです。なぜなら、『古事記』では人間の祖先である神さまは、泥の中からアシ（葦）の芽のように生まれてきたと語っているからです。人間は草木のように、土から生まれて育っていくものだと感じていたのです。だからこそ、神さまが住む高天原から見ると「下界は、草木が物言う不気味な世界」でもあったのです(写真5-4)。

これは、農の経験に基づく感覚だと断定していいでしょう。『古事記』では、神さまの国である高天原でも、稲作や養蚕が行われていました。ということは、神さまも農を仕事としていたのです。これは古代の百姓の、草木への親密な感覚が、神話に反映したと考えるのが妥当でしょう。

写真5-4　「青人草」に見えるでしょうか

●日本語の面白さ

日本語はとても不思議な言葉です。人間の身体と、草の身体が同じなのです。表5-1のように見事に対応しています。私たちはつい漢字を思い浮かべるので、この二つは別物だと思っていますが、「発音」では同じです。それにしても、偶然の一致にしては

表 5-1　草木のパーツと人間の体の部分

草　木	芽	花	葉	茎	穂穂	実実	実	殻	種	根
人　間	目	鼻	歯	歯茎	頬	耳	身	体	胤	心根

あまりに出来過ぎていると思いませんか。さすがに言語学者の木村紀子さんが解き明かしていました。まず先に草(たぶん稲か)のパーツの名前がついて、それを人間に当てはめたのだそうです(『古層日本語の融合構造』平凡社、二〇〇三年)。たとえば、「茎」が先に命名されないと、「歯茎」は思い浮かばないでしょう。

順に説明していきましょう。あなたが人体のパーツを命名しているところを想像してみてください。

【芽と目】実が裂けて芽が出てきます。人間も顔の皮膚が裂けて籾の芽のような形の目ができました。人に会ったらまず目を見て生気を読み取ります。芽は生気を発する元です。
【花と鼻】花が咲かないと、実はなりませんし、花は一番目立ちます。人の顔の中心は鼻で、目立ちますし、息をしていのちを支えています。
【葉と歯】葉は毎年枯れて生え替わります。歯も乳歯が永久歯に生え替わります。「生えそろう」という言い方も共通です。

【茎と歯茎】葉が生えてくるところが茎ですから、歯が生えてくるところも歯茎になったのです。茎と歯茎は外見は似ていませんが、茎は葉を支え、歯茎は歯を支えています。

【穂穂と頬】穂はこれから実ります。赤い頬は、子どもや青年の特徴で、これから充実した人生を迎えます。頬は左右二つあるので、「穂穂」と重複しているのです。

【実実と耳】これも人間の顔には左右二つあるので「実実」となりました。頬(穂穂)の横から左右に突き出ている形が、穂がみのった実にも見えます。

【実と身】実が熟れることを「みのる」(実成る)と言います。人間も「人となる」という言い方に身も成る(成長する)ものだという感覚が残っています。身は「つまっている」ものです。

【殻(から)と体】籾から米をとると籾殻が残ります。稲刈り後の葉や茎も殻と言います。人間の亡骸(なきがら)は、「いのち」がなくなり、外側の体だけが残ります。

【種と胤(たね)】稲は「タネ(田根)」から生まれ、播いて田に根を下ろしていきます。人間の胤(精子)は子どもをこしらえるために必要です。

【根と心根】人間はかつて「青人草」という植物だったので、心の根を土の下に伸ばさないと生きていけません。このように心も奥深いから心根と言うのです。

このように私たちの顔や体のパーツの名前にするぐらいに草との関係が深かったのは、採集時代から農耕の時代を通して、草木を見つめて、手入れして食べてきた長い歴史の産物(みのり)です。それが見事に言葉に反映され、現代の私たちに引きつがれているのです。まして昔から日本人は草木と日常的に話をしてきていたのですから、この命名は自然の成り行きだったのです。

●草木の生への共感

草木は、自分と同じ生きものなんだという共感は、こうしていよいよ強くなりました。これも不思議なことですが、百姓は、動物よりも植物の名前の方をよく知っています。年寄りの百姓と話していると、昔の風景が話題になることがとても多いと感じます。天地自然の姿は何よりも、風景として思い出にとどめられているからです。そして、その風景の中では、動物よりも草木の方が鮮やかに記憶されています。「ふるさとの実家の、山桜の花は裏山全体を包んで、ほんにきれいじゃった。あの桜は、いまも咲いとるじゃろうか」と。

●百姓として心していること――あたりまえの農業をする

私は三〇年間、無農薬・無化学肥料で栽培していますが、「有機農業」とは名乗りません。「あたりまえの農業です」と言っています。何があたりまえなのか、わかりますか。

農薬と化学肥料と農業機械によって、農業を進歩・発展させるという考え方は、どこが間違っていたのでしょうか。前にも説明したように、「農」は産業としての「農業」部分と、産業から漏れ落ちる部分を含んでいます。進歩・発展させることができるのは「農業」部分だけです。そしてその結果、農の「農業」ではない部分が破壊されていくのです。とくに農を支えている生きものたちの生は、「進歩・発展」することができません。しかも、その生きものたちの生と密接にかかわっている百姓の生(人生)も、ほんとうは進歩・発展することができないものではないでしょうか。

仮に農薬を使用するとしても、そのために死んでいく害虫・益虫・ただの虫のいのちを悼むことがあったなら、「ごめんよ」と詫びて使うことがあったなら、農業技術のあり方は大きく違ったものになっていたでしょう。「環境に配慮した技術」も、もっと広がっていたでしょう。生きものへのまなざしが衰退することもなかったでしょう。

ところが、進歩・発展を目指す農薬・化学肥料・農業機械などの近代化技術は、「農業」

については仕事を楽にし、生産効率を向上させましたが、「農」に根ざした百姓のやさしさや誇りを傷つけてしまいました。

私は百姓として、日頃から「無駄な殺生はしない」と心がけていますが、なかなかちゃんとできているわけではありません。「あっ、またやってしまった」ということも少なくありません。情けないことです。それでも、私が考えている「あたりまえの農業」とは、百姓は百姓らしく、生きものも生きものらしく生きていく「農」のことだと、言い続けなければなりません。そのためには、カネになるものを生産するために、カネにならないものを犠牲にする農業技術は使うべきではないと考えています。そしてこの社会の富を、カネにならない生きものにまた会えるためにつぎ込んでいく政治にする必要があると考えています。

●きっかけとしての気候変動対策

二〇二一年五月に農水省は「みどりの食料システム戦略」を発表しました。そこには私もびっくりするような計画が書かれていました。二〇五〇年までに農薬を五〇%、化学肥料を三〇%減らし、有機農業が占める割合を二五%(一〇〇万ha)にするという「未来構想」です。残念ながら、どのようにして実現するかは、「新しい技術を開発する」と言うばかりで説得力はありませんでしたが、ずいぶん世の中も変わりつつあるという印象を受けます。ただ残念なことにこの計画や構想は「地球温暖化対策」「気候変動対策」という外圧がきっかけであって、内側からの価値転換の提案ではありません。

もちろん世界的な「気候変動対策」がきっかけになって、「農業も環境に負荷をかけない持続可能なものに転換しよう」とすることは悪いことではありません。しかし、もともと農とはそういうものであったはずなのです。むしろ、農業をカネ儲けの道具にしてしまった歴史をしっかり認識し、同時に「農」の部分から、いま一度「農業」を考えなおす政策をつくる必要があるでしょう。

つまり「農業」部分だけを、農薬や化学肥料に頼らない「新しい技術(スマート農業)」を開発して変えていこうとする農水省の戦略は、小手先の対応でしかありません。むしろ、なぜ、すでに有機農業をやっている百姓の様々な考え方と知恵に学ばないのか不思議なくらいです。

先ほどの「みどりの食料システム戦略」を読むと、「環境への負荷」とは、生きものの「いのち」を傷つけていること、また「持続可能」とは、「いのち」がちゃんと引きつがれることだと、わかっているのだろうかと疑問に思ってしまいます。

まともな農業とは、経済よりも「いのち」を第一に考えるものです。もちろんそれは簡単ではありません。けれど、そうした視点で考え、行動するところまで、時代は来ているのです。それらを、百姓だけでやろうとするのはもはや無理でしょう。主役は天地自然の生きものなのですから。天地自然に頭を垂れて力を借りるしかありません。

そしてさらに言えば、百姓でない消費者たちの協力も大事になってきます。百姓でない消費者たちの気持ちを「農」に向けてもらって、手助けをしてもらわなければ、世の中は変わりません。

●農の原理ってなんだろう

もう長い間、農は産業としての「農業」になろうとしてきました。それが農業の「近代化」の目的でした。機械化を進めて単位面積あたりの労働時間を短くし、省いた時間を規模拡大につぎ込んだり、他の分野の労働にまわしたりしましょう、農薬や化学肥料を使って単位面積あたりの収穫量を増やして稼ぎを増やしましょう、生産コストを引き下げて安い農産物を提供しましょう、と言われてきたのです。日本政府も、農学者も、農業指導者も、そして多くの百姓も、それ以外に進歩・発展の筋道を見つけることはできませんでした。そのために「農らしさ」を少しずつ少しずつ削って捨ててこなければならなかったのです。その省いた百姓仕事(労働時間)の中に、「農らしさ」を支える営みがあったことが、やっと見えるようになってきました。

このことに気づいた時から、私は「農らしさ」をどうにかして取り戻したい、守っていきたいと思うようになりました。そして「農らしさ」を「農の原理(農の本質)」と名づけました。「農の原理」と言うと何か難しそうですが、ふと目に入った赤トンボの翅(はね)のきらめきに「ああっ、きれい」と感じることも、「農の原理」の一つの表情です。このようにどこにも、いつでも顔をのぞかせているのですが、それを「農らしさ」と意識しないと、失われても気づきません。

少しばかり哲学的に一言で済ませるなら、「農の原理」とは、生きとし生けるものの「いのち」を引きつぎ、次につなげることです。

実感に近い言葉で言えば、いつも顔を合わせている食べもの・生きものたちと「また会える」ようにすることです。

誤解がないように言っておきますが、これは農の外側から客観的に見た「持続」や「再生」とは違います。そういうよそよそしいものではありません。むしろ内からのまなざしで、生身の感覚でつかむものです。それをこの本で書いてきたのです。しかし、この内からのまなざしでとらえた「農の原理」を表現するためには、この本でも新しい試みが必要でした。

あたりまえのことですが、この世界、天地自然は生きもので満ちています。これはとても不思議なことですね。でも、だからこそ「農」は、成り立っているのです。「農の原理」が生きもの抜きには語れない理由がここにあります。そこでこの本では、生きものと出会って、話をすることを大切にしました。また生きものの「いのち」をできるだけ広く、深く表現しようと力を注ぎました。

みなさんは食べものの「いのち」を通じて、私たち百姓とつながり、天地自然の「いのち」とつながることができます。このことを「幸せ」だと感じるなら、あなたの中にも「農らしさ」つまり「農の原理」が根を張っているのです。

いま世界では、「農」の新しい価値づけや表現が、これまでとは全く異なった見方の思想や学問として生まれ始めています。この本もその一例になっていれば嬉しいのですが。

おわりに――いのちをつなぐ

私の語りは、どうでしたか。これまでの農業の本とはかなり違っていたと思いますが、「農業とは食料を生産する産業である」という常識は揺らいだでしょうか。

私はできるだけ、「内からのまなざし」で、つまり天地自然の内側から、村の中から、私自身の内から、そして生きものになり代わって語ろうとしました。

あなたに一番伝えたかったのは、「農とは、ほんとうは、こういうものなんですよ」という私と生きものたちの真情です。そのために「いのち」を語らなければならなかったのです。はたして、稲や小さな虫や草の「いのち」にも目がとまるようになったでしょうか。毎日食べる食べものに「いのち」を感じるようになったでしょうか。

生きものの「いのち」と、私たちの「いのち」がつながっていることは、不思議ですね。

それを実感できるのが食事です。食べるということは、「いのち」を奪いながら、「いのち」を引きつぐのですから、すごい行為です。そうしてしまったのは、「農」ですが、はたして現代の「農」はしっかり「いのち」を支えているのだろうか、という心配も漏らしてしまいました。

百姓仕事での殺生と食事での殺生は避けられません。人間の宿命みたいなものですね。でも、この殺生を悩まなくていいのは、「また会える」からだという私の説明（農の原理）には、納得がいったでしょうか。これは人間に天地自然がもたらしてくれた最大の「救い」のような気がしています。

そうです。この本のタイトルである「農はいのちをつなぐ」とは、田畑の生きもののいのちを「また会える」ようにすることでした。しかしそのためには、生きもののいのちと、食べもののいのちと、人間のいのちを、つながなければならないのです。もう一度言わせてください。食べることも「農」の一部だと、欠かせない一部だと。

最後に、きわめて個人的な気持ちを書きとめておきます。私たち夫婦は、毎日田んぼの畦の木の下に腰を下ろして休みます。先日、思い切って、「死んだらこの畦草の一つに生まれかわってくるような気がする。あなたもそばに生まれてきてほしい」と私が言うと、妻は笑ってくれました。

宇根 豊
1950年長崎県島原市生まれ(旧姓，永藤)．九州大学大学院博士課程修了．農学博士．1978年に福岡県農業改良普及員として，「虫見板」を普及し「減農薬運動」を提唱．「減農薬」という言葉は全国に広がった．「ただの虫」を発見・命名し，農の世界の生物多様性の扉を開いた．1989年に百姓となる．2000年に福岡県庁を退職し，NPO法人「農と自然の研究所」を設立．「田んぼの生きもの調査」を広げ，「生きもの指標」と「田んぼの生きもの全種リスト」を完成させた．
著書は『農は過去と未来をつなぐ』『うねゆたかの田んぼの絵本・全5巻』『百姓学宣言』『「田んぼの学校」入学編』『日本人にとって自然とはなにか』など多数．

農はいのちをつなぐ　　岩波ジュニア新書978

2023年11月17日　第1刷発行

著　者　宇根 豊(うね ゆたか)

発行者　坂本政謙

発行所　株式会社 岩波書店
〒101-8002 東京都千代田区一ツ橋2-5-5
案内 03-5210-4000　営業部 03-5210-4111
ジュニア新書編集部 03-5210-4065
https://www.iwanami.co.jp/

印刷・精興社　製本・中永製本

ISBN 978-4-00-500978-7　　Printed in Japan

岩波ジュニア新書の発足に際して

きみたち若い世代は人生の出発点に立っています。きみたちの未来は大きな可能性に満ち、陽春の日のようにひかり輝いています。勉学に体力づくりに、明るくはつらつとした日々を送っていることでしょう。

しかしながら、現代の社会は、また、さまざまな矛盾をはらんでいます。営々として築かれた人類の歴史のなかで、幾千億の先達たちの英知と努力によって、未知が究明され、人類の進歩がもたらされ、大きく文化として蓄積されてきました。にもかかわらず現代は、核戦争による人類絶滅の危機、貧富の差をはじめとするさまざまな人間的不平等、社会と科学の発展が一方においてもたらした環境の破壊、エネルギーや食糧問題の不安等々、来るべき二十一世紀を前にして、解決を迫られているたくさんの大きな課題がひしめいています。現実の世界はきわめて厳しく、人類の平和と発展のためには、きみたちの新しい英知と真摯な努力が切実に必要とされています。

きみたちの前途には、こうした人類の明日の運命が託されています。ですから、たとえば現在の学校で生じているささいな「学力」の差、あるいは家庭環境などによる条件の違いにとらわれて、自分の将来を見限ったりはしないでほしいと思います。個々人の能力とか才能は、いつどこで開花するか計り知れないものがありますし、努力と鍛錬の積み重ねの上にこそ切り開かれるものですから、簡単に可能性を放棄したり、容易に「現実」と妥協したりすることのないようにと願っています。

わたしたちは、これから人生を歩むきみたちが、生きることのほんとうの意味を問い、大きく明日をひらくことを心から期待して、ここに新たに岩波ジュニア新書を創刊します。現実に立ち向かうために必要とする知性、豊かな感性と想像力を、きみたちが自らのなかに育てるのに役立ててもらえるよう、すぐれた執筆者による適切な話題を、豊富な写真や挿絵とともに書き下ろしで提供します。若い世代の良き話し相手として、このシリーズを注目してください。わたしたちもまた、きみたちの明日に刮目しています。（一九七九年六月）

924 過労死しない働き方
―働くリアルを考える
川人 博
過労死や過労自殺に追い込まれる若い人を、どうしたら救えるのか。よりよい働き方・職場のあり方を実例をもとに提案する。

925 障害者とともに働く
藤井克徳
星川安之
「障害のある人の労働」をテーマに様々な企業の事例を紹介。誰もが安心して働ける社会のあり方を考えます。

926 人は見た目！と言うけれど
―私の顔で、自分らしく
外川浩子
見た目が気になる、すべての人へ！「見た目問題」当事者たちの体験などさまざまな視点から、見た目と生き方を問いなおす。

927 地域学をはじめよう
山下祐介
地域固有の歴史や文化等を知ることで、自分・社会・未来が見えてくる。時間と空間を往来しながら、地域学の魅力を伝える。

928 自分を励ます英語名言101
小池直己
佐藤誠司
自分に勇気を与え、励ましてくれるさまざまな先人たちの名句名言に触れながら、自然に英文法の知識が身につく英語学習入門。

929 女の子はどう生きるか
―教えて、上野先生！
上野千鶴子
女の子たちが日常的に抱く疑問やモヤモヤに、上野先生が全力で答えます。自分らしい選択をする力を身につけるための1冊。

930 平安男子の元気な！生活
川村裕子
意外とハードでアクティブだった!? 恋に出世にライバル対決、元祖ビジネスパーソンたちのがんばりを、どうぞご覧あれ☆

931 SDGs時代の国際協力 ―アジアで共に学校をつくる
西村幹子
小野道子
井上儀子
バングラデシュの子どもたちの「学校に行きたい！」を支えて――NGOの取組みから未来をつくるパートナーシップを考える。

932 コミュニケーション力を高める プレゼン・発表術
上坂博亨
大谷孝行
里見安那
パワポスライドの効果的な作り方やスピーチの基本を解説。入試や就活でも役立つ「自己表現」のスキルを身につけよう。

933 確かめてナットク！ 物理の法則
ジョー・ヘルマンス
村岡克紀 訳
ロウソクとLED、どっちが高効率？ 物理学は日常的な疑問にも答えます。公式だけじゃない、物理学の醍醐味を味わおう。

934 深掘り！ 中学数学 ―教科書に書かれていない数学の話
坂間千秋
三角形の内角の和はなぜ180°になる？ なぜ割り算はゼロで割ってはいけない？ なぜマイナス×マイナスはプラスになる？…

935 はじめての哲学
藤田正勝
なぜ生きるのか？ 自分とは何か？ 日常の一歩先にある根源的な問いを、やさしい言葉で解きほぐします。ようこそ、哲学へ。

936 ゲッチョ先生と行く 沖縄自然探検　盛口　満

沖縄島、与那国島、石垣島、西表島、宮古島を中心に、様々な生き物や島の文化を、著名な博物学者がご案内！〔図版多数〕

937 食べものから学ぶ世界史 ―人も自然も壊さない経済とは？　平賀　緑

食べものから「資本主義」を解き明かす！産業革命、戦争…。食べものを「商品」に変えた経済の歴史を紹介。

938 国語をめぐる冒険　渡部泰明・平野多恵・出口智之・田中洋美・仲島ひとみ

世界へ一歩踏み出せば、新しい出会いと成長への機会が待っています。国語を使ってどう生きるか、冒険をモチーフに語ります。

940 俳句のきた道 芭蕉・蕪村・一茶　藤田真一

古典を知れば、俳句がますますおもしろくなる！　個性ゆたかな三俳人の、名句と人生、俳句の心をたっぷり味わえる一冊。

941 AIの時代を生きる ―未来をデザインする創造力と共感力　美馬のゆり

人とAIの未来はどうあるべきか。「創造力と共感力」をキーワードに、よりよい未来のつくり方を語ります。

942 親を頼らないで生きるヒント ―家族のことで悩んでいるあなたへ　コイケ ジュンコ　NPO法人ブリッジフォースマイル協力

虐待やヤングケアラー…、子どもはどのようにSOSを出せばよいのか。社会的養護のもとで育った当事者たちの声を紹介。

949 進化の謎をとく発生学
―恐竜も鳥エンハンサーを使っていたか
田村宏治
進化しているのは形ではなく形作り。キーワードは、「エンハンサー」です。進化発生学をもとに、進化の謎に迫ります。

950 漢字ハカセ、研究者になる
笹原宏之
著名な「漢字博士」の著者が、当て字、国字、異体字など様々な漢字にまつわるエピソードを交えて語った、漢字研究者への成長記。

951 作家たちの17歳
千葉俊二
太宰も、賢治も、芥川も、漱石も、まだ「文豪」じゃなかった――十代のころ、彼らは何に悩み、何を決意していたのか？

952 ひらめき！英語迷言教室
―ジョークのオチを考えよう
右田邦雄
ユーモアあふれる英語迷言やひねりのきいたジョークのオチを考えよう！ 笑いながら英語力がアップする英語トレーニング。

953 大絶滅は、また起きるのか？
高橋瑞樹
生物たちの大絶滅が進行中？ 過去五度あった大絶滅とは？ 絶滅とはどういうことでなぜ問題なのか、様々な生物を例に解説。

954 いま、この惑星で起きていること
気象予報士の眼に映る世界
森さやか
世界各地で観測される異常気象を気象予報士の立場で解説し、今後を考察する。雑誌『世界』で大好評の連載をまとめた一冊。

955 世界の神話 躍動する女神たち　沖田瑞穂
強い、怖い、ただでは起きない、変わってる⁉ 世界の神話や昔話から、おしとやかなイメージをくつがえす女神たちを紹介!

956 16テーマで知る 鎌倉武士の生活　西田友広
鎌倉武士はどのような人々だったのでしょうか? 食生活や服装、住居、武芸、恋愛など様々な視点からその姿を描きます。

957 〝正しい〟を疑え!　真山 仁
不安と不信が蔓延する社会において、自分を信じて自分らしく生きるためには何が必要なのか? 人気作家による特別書下ろし。

958 津田梅子―女子教育を拓く　髙橋裕子
日本の女子教育の道を拓き、シスターフッドを体現した津田梅子の足跡を、最新の研究成果・豊富な資料をもとに解説する。

959 学び合い、発信する技術―アカデミックスキルの基礎　林 直亨
アカデミックスキルはすべての知的活動の基盤。対話、プレゼン、ライティング、リーディングの基礎をやさしく解説します。

960 読解力をきたえる英語名文30　行方昭夫
英語力の基本は「読む力」。先生と生徒の対話形式で、新聞コラムや小説など、とっておきの例文30題の読解と和訳に挑戦!

961
森鷗外、自分を探す
出口智之

文豪で偉い軍医の天才？　激動の時代の感覚に立って作品や資料を読み解けば、自分探しに悩む鷗外の姿が見えてくる。

962
巨大おけを絶やすな！
日本の食文化を未来へつなぐ
竹内早希子

しょうゆ、みそ、酒を仕込む、巨大な木おけ。途絶えかけた大おけづくりをつなぎ、その輪を全国に広げた奇跡の奮闘記！

963
10代が考えるウクライナ戦争
岩波ジュニア新書編集部編

この戦争を若い世代はどう受け止めているのでしょうか。高校生達の率直な声を聞き、平和について共に考える一冊です。

964
ネット情報におぼれない学び方
梅澤貴典

新しい時代の学びに即した情報の探し方や使い方、更にはアウトプットの方法を図書館司書の立場からアドバイスします。

965
10代の悩みに効くマンガ、あります！
トミヤマユキコ

悩み多き10代を多種多様なマンガを通してお助けします。萎縮したこころとからだがふわっと軽くなること間違いなしの一冊。

966
新種発見物語
―足元から深海まで11人の研究者が行く！
島野智之
脇　司　編著

虫、魚、貝、鳥、植物、菌など未知の生物の探究にワクワクしながら、分類学の基礎も楽しく身につく、濃厚な入門書。

967 **核のごみをどうするか** ―もう一つの原発問題　今田高俊・寿楽浩太・中澤高師

原子力発電によって生じる「高レベル放射性廃棄物」をどのように処分すればよいのか。問題解決への道を探る。

968 **扉をひらく哲学** ―人生の鍵は古典のなかにある　中島隆博・梶原三恵子・納富信留・吉水千鶴子 編著

親との関係、勉強する意味、本当の自分とは？……人生の疑問に、古今東西の書物をひもといて、11人の古典研究者が答えます。

969 **在来植物の多様性がカギになる** ―日本らしい自然を守りたい　根本正之

日本らしい自然を守るにはどうしたらいい？　在来植物を保全する方法は？　自身の保全活動をふまえ、今後を展望する。

970 **知りたい気持ちに火をつけろ！** ―探究学習は学校図書館におまかせ　木下通子

レポートの資料を探す、データベースで情報検索する……、授業と連携する学校図書館の活用法を紹介します。

971 **世界が広がる英文読解**　田中健一

英文法は、新しい世界への入り口です。楽しく読む基礎とコツ、教えます。英語力不問、この1冊からはじめよう！

972 **都市のくらしと野生動物の未来**　高槻成紀

野生動物の本当の姿や生き物同士のつながりを知る機会が減った今。正しく知ることの大切さを、ベテラン生態学者が語ります。